歴史のなかの人びと

Encountering People in History: A New Approach

出会い・喚起・共感

樋口映美――編

彩流社

目次

第三部　事件・出来事に見える日常世界

第四部　人の意識が変わるとき／かかわりが変える世界観

凡例

1　本文は縦書きとしたが、註は書名など欧文表記も多いので横書きとして本書の後にまとめた。

2　地名や人名などの原語が日本語以外の場合、本文ではできる限り原語の発音に近いカタカナ表記を用いた。たとえば英語の fast food store は、ファストフード店と表記した。ただし、直接引用文においては出典どおりとした。なお、原語綴りによる表記は、できるだけ本文から削除し、人名など原語綴りによる表記が必要と判断したものに限った。また、国名については、ベトナムという表記が慣用されているので、ヴェトナムとは表記しない。また、アメリカ合衆国は、アメリカあるいは米国と表記する場合もある。

3　本文の数字表記には、「数十」「数百」など不特定の数値を表わす場合は別として、「十」「百」「千」は使用せず、それぞれ「一〇」「一〇〇」「一〇〇〇」と表記した。なお、「ひとつ」「ふたつ」は「一つ」「二つ」と表記した。したがって、人数を表わす「ひとり」は原則として「一人」と表記する。さらに、従来「一ヶ月」と表記される傾向にあった語句については、「一か月」と表記した。ただし、直接引用文については、いずれも出典どおりとし、「十四人委員会」など固有名詞においては例外として使用した。

4　従来二つの同じ漢字を並べた語句「人々」は、原則として「人びと」と表記する。ただし、直接引用文では出典どおりとした。

5　記号については、「〜」は本文ではできる限り使用せず、「から」と記した。また、「＝」などの記号も本書では原則として用いないこととした。ただし、直接引用文では出典どおりとした。

6　「おこなう」を漢字で表記する場合は、「行なう」と送り仮名を付けることにより、「行った」（いった）と「行なった」（おこなった）が一見して区別できるようにした。それ以外の漢字使用・かな使用については、各執筆者の文章で表現される雰囲気を壊さないために、本書全体の統一は避けた。したがって、「たよえば」「例えば」、「おこなう」「行なう」、「さまざま」「様々」など、執筆者によって異なる。単位の表記についても、それぞれ文章の雰囲気を壊さないために本書全体での統一は避けた。したがって、たとえば、「パーセント」が「%」と表記されることもある。

7　本文および註における直接引用の文中および英語文章の翻訳において、内容の理解を深めるために引用者あるいは翻訳者が付記した語句は〔　〕を設けて、その中に記した。なお、引用文の途中を省略した場合は、〔……〕と記した。〔　〕を使わずに中黒四点・・・・のみの表記は、沈黙を示す。

8　註に記載された欧米語文献は、原則としてシカゴ・マニュアルに準じて記した。ただし、ページ数については、日本語文献の場合は「頁」で表記し、欧米語文献の場合は初出文献には数字のみで、同文献の二度目以降はp. あるいはpp. で表記した。

【注】本書は内容を四つのグループに分けたが、そのグループ内の「話」はそれぞれ独立しているため章としては扱わず、したがって、章番号に当たる番号などは付けていない。

第一部　記憶に広がる出来事の世界

活動家ブルース・ハートフォードとの対話から

樋口映美

二〇二三年三月にミシシッピ州公民権活動経験者組織の年次大会がミシシッピ州のトゥガルー大学で開催され、私はその大会に参加した。ミシシッピ州で活動したことのある人たちが全国から集まってきていて、何人か初対面の人たちと話す機会に恵まれた。プログラムが一つ終わったとき、見知らぬ大柄の白人男性が話をしてもいいと言ってくれた。大会に集まる大勢の人たちでにぎわう会場から離れて、隣の建物で誰もいない静かな教室を見つけた。その話し相手が、サンフランシスコから訪れていたブルース・ハートフォード（Bruce Hartford）さんである。ハートフォードさん（以下BH）は、椅子に腰かけると、こんなウェブサイトを主催していると言って、サイトのカードを手渡してくれた。

――早速ですが、なぜホームページを立ち上げられたのですか。

BH　ウェブサイトのことですか。

――はい、そうです。

BH　そうですね、公民権について、私たちは南部の公民権運動というより解放運動《フリーダム・ムーヴメント》と呼ぶことが多いですが[1]、それについて学校の教室でも教えられているし、テレビ報道や歴史研究者による取り組みもされています。ただ、活動してきた私たちの眼にはそれらが不十分で腑に落ちなかったんで、自分たちが自分たちの眼で何を見たか、自分たちが自分たちの活動を今どう考えるか、そんなことを伝える場が必要だと思ったんです。いわゆる「マスター・ナラティヴ[2]」が今や深く浸透してますからね。それによると、一九五四年の連邦最高裁判所による「ブラウン対教育委員会」判決から始まって、キング牧師が指導したのが解放運動だ、とかいうことになります。その「ブラウン対教育委員会」判決[3]についても、私たちは一九五一年から始まっていると考えています。私たちが特に重視するのは、バーバラ・ジョーンズです。ジョーンズは一六歳で、ヴァージニア州のプリンスエドワード郡で〔人種隔離制度下にあって〕人種別になっていた黒人高校の生徒でした。ジョーンズは生徒仲間を組織して、ずっと我慢してきた〔黒人〕学校の〔白人学校とは比較にならないような〕ひどい状況を改善してほしいと訴えて、生徒たちでストライキを決行した。そのストライキから裁判が立ち上げられて、それが、ブラウン判決として後に統合される数件の裁判の一つだったんです。ですから、私たちは解放運動を、そうした人びとの物語として展望する。これは、いわゆる「マスターー・ナラティヴ」とはかなり違った展望です。

――そうですね。ハートフォードさんたちは、人びと個々人に焦点を当てるということですね。

BH　ええ、そうですね。ウェブサイトを見ていただければわかりますが、個々の物語として、今五〇人ほどの証言を掲載しています。短い語りもあれば、長いのもあります。それぞれがみな歴史です。普通の人たちの話、末端の活動員の話です。それに加えて史料も集めています。ウェブサイトは過去一〇年ほどでつくられたもので、今も仲間がウェブサイトの充実のために活動しています。たとえば、私の場合は、SCLC[4]と関係してアラバマ州とミシシッピ州にいたことがあります。ミシシッピ州では特にグレナダにいました。そこで大きな白熱した運動があったんです。[5]その運動について知っている人はほとんどいませんけどね。

――本当にそうですね。歴史のなかに隠されているんです。ハートフォードさんは、南部にいつごろいらしたんですか。

BH　私は、一九六三年と一九六四年にカリフォルニア州で公民権の活動に携わっていたので、その脈絡でアラバマ州で活動するようにとSCLCに雇われました。それからSCLCは私を今度は一九六六年にミシシッピ州に派遣したんです。

――ああ、そうだったんですか。

BH　私の任務は、地元の活動を組織することでした。一九六六年の「恐怖に対抗する行進」（March Against Fear）を、メレディス行進のことですけど(6)、知っていますか。

――はい。つまり、ハートフォードさんはSCLCの一員としてミシシッピ州にいらしたんですね。

BH　そうです。アラバマ州にいたSCLC関係者がメレディス行進のときミシシッピ州に送り込まれたんですよ。SNCC(7)やCORE(8)なんかの活動員たちが大勢いました。SCLCのメンバーは少なかったけど、いたんですよ。誰も最初はあの行進があんな大きな行進になるとは思ってもいなかったし、「ブラックパワー」が叫ばれて(9)、誰もがあれを歓迎したわけじゃないけどね（笑）、その行進がグレナダに来たとき、そこの住民が行進を歓迎してくれたので、キングは、行進終了後に〔SCLCは〕グレナダに戻って来ると言ったんです。それで私は、行進後にグレナダに派遣されたSCLC活動員の一人だったわけですよ。

――そうやって、ハートフォードさんは、一九六六年の終わりまでミシシッピ州にいたんですね。

BH　そうだな、一九六七年二月にグレナダを去るまでね。だから、八か月くらいだね。

――その後もSCLCの活動に携わってたんですか。

BH　いや、グレナダを去ったとき、SCLCと別れました。それから私はニューヨークに行って、ベトナム反戦のための最初の大きな大衆抗議デモの手伝いをしたんです。大規模な行進で、数十万人もの人びとが参加した。それから私はサンフランシスコに行って、サンフランシスコ州立大学で学生による大きなストライキなんかがあったんで、それに参加して、などなど……。それから日本に行った（笑）。

――エッ、日本に！　またどうして？

BH　海兵隊の反戦運動を組織するためです。〔米軍基地のある〕山口県の岩国でね。反戦のチラシを作って配布したりして、忌々しい扇動家になった！（笑）それから、フリーランスの記者として〔ベトナムの〕戦場にも行きました。

――へぇー、そんな具合に活動してて、どうやって生計をたてていたんですか。

BH　そうねぇ、生活費はそんなにいらなかった。〔南部で〕SCLCに雇われてるとき、週二〇ドルもらってた。でもね、地元の家族と一緒に生活してて、食べ物も宿も全部ただだったからね。それからニューヨークにいるときのことは、あんまり憶えてないけど、なんか少し稼いでたし。それから大学生のときは、自活してたけど、あのころはあんまりお金を使わなかったね。下宿もグループで借りてたしね。

――そうやって生活して、サンフランシスコに落ち着いたのはいつごろだったんですか。

BH　アジアから戻ってきたとき？　そうね、一九七一年とか七二年だったと思う。仕事を捜して、コンピューター関連の仕事をすることになった（大笑）。

――じゃあ、大学ではコンピューターの勉強をした？

BH　いや。

――エッ、違う？

BH　そう、大学での専攻は心理学で、学生時代に実際に勉強したのは暴動や革命や政治活動についてかな（笑）。

――（笑）そうでしたか。なるほどね。

BH　コンピューター製品が生産されるようになってて、ちょうど一九七九年か八〇年くらいのことね。私は、技術的な文章を書く仕事をしたんですよ。最初の就職は、面接のときに「自分はコンピューターのことを何にも知らない。ちょうど一般の人たちと同じだから、コンピューターの使用説明書を書くのは私のような人間の仕事ですね」って言ったら、採用された（笑）。それで、説明書なんかを書く仕事を三〇年ほど続けて、三年前に退職しました。

――一つの会社に勤務したんですか。

BH　いや、フリーランサーとして。アップル社とかオレコ社とかマイクロシステム社、ネットスケープ社とかの仕事もしましたよ。

――そうやって、コンピューターのことならもう何でもわかるようになったんですね（笑）。

BH　いやいや、そんなわけじゃない（笑）。

――でも、ハートフォードさんは自分で起業したんですね。

BH　そうです。コンピューターの会社が私と契約書を交わしてね。

――それにしても、いつごろ公民権のウェブサイトをつくろうって思ったんですか。

BH　うーん、あれは……一九九九年くらいかな。サンフランシスコ湾岸《ベイエリア》の地域に住む何人かの解放運動経験者で始めたんです。ある活動家だった女性が生活苦でホームレスになったっていう噂が流れて、それは本当じゃなかったんだけど、私たちは、解放運動に参加したことで言いようもない恐怖感に苛《さいな》まされ、いわゆる心的外傷後ストレス障害（以下、PTSD）を患ってる人たちが多いっていう状況について考えるようになりました。それで心の傷を癒す会を企画して、精神的な問題で困ってる仲間を助ける活動をしようっていうことになったんです。そのうち、私たちは気がついたんですよ。自分たちも、同じだってね。私たちも心が傷ついているって。それで私たちは、自分たちの集会を毎月もつようになった。そのうち、各自いろんなプロジェクトを担当して、私は、コンピューターの仕事をしてきたから、自分たちのウェブサイトをつくってはどうかって提案したんです。そのときは、同じような問題を抱えている人たちがどこにいようとウェブサイトにアクセスすることで交流できる場をつくるのが目的だったんですよ。最初は、お互いに連絡し合える方法を示すだけのものだったけど、やがてウェブサイトは大きくなって、今や歴史を伝えるサイトとして機能しています。アクセスしてくる人に体験を語ってもらったり、解放運動の説明は私たちが書いたりしているうちに、ウェブサイトは、私たちが当初考えていた〔仲間のための〕交流の場以上のものになったわけですね。こうやって、ウェブサイトが始まったんです。

——興味深いお話しを伺いました。実は、私は、アン・ムーディの自伝 *Coming of Age in Mississippi* を日本語に翻訳しました[10]。

BH　エッ、本当！　あの本を？　あれはいい本だ！

——ええ、本当に、すごい本です。それを翻訳してるとき、公民権活動経験者アン・ムーディの描く恐怖感が私にも乗り移ってました。強烈な本です。

BH　わかる、わかる。

——そのころ〔二〇二六年〕、アン・ムーディはPTSDを患っていたようなんです。

BH　そうですか。それはお気の毒ですね。でも、驚かないですよ。ありうることだから。それで、ムーディはどんな具合なんですか。

――詳しくは知りません。でも、ある日、アフリカ系アメリカ人史研究の組織のメンバーに回覧された短い手紙を、友人が私に転送してくれたんです。それは、アン・ムーディの姪からのもので、「アン・ムーディはまだミシシッピ州で生きています。重いPTSDを患っていて、誰にも、どんな人にも会おうとはしません」と書いてありました。その姪御さんにすぐメールしたら返事が届いて、そこにも同じようなことが書かれていました。(11)

BH　そうですか。そうなんですよね。実は、ウェブサイトで経験を語ってもらうようにお願いしてるけど、そのなかには、初めて語った、それまで誰にも話したことなどないっていう人もいる。それはPTSDを患っていたからなんですね。

――……このPTSDは、私の父の問題でもあったと思います。

BH　エッ、第二次世界大戦の経験?

――ええ、そうです。父は原爆投下後の広島の光景を見たんです。父の所属する海軍の船が広島の近くにある県の港に入って来て、キノコ雲を見たんです。

BH　エーッ、本当ですか……。

――ええ、その部隊は、原爆投下の二日後の広島市内に派遣されたんです。

BH　エッ、……それは死体を焼く作業!　……それは大変なことだ。

――ええ。まだ私が小学生だったころ、母が戦争体験のことを話してくれました。母はちょうど大阪に下宿していたので、夜の空襲のたびに部屋の電球を消して、近くの防空壕に逃げ込んだそうです。空襲が収まって、防空壕から出て、下宿に戻るときには、逃げ遅れた人たちの焼けただれた死体や倒れている人を暗闇の中で踏まないように注意して歩いたことなど、こまごまと何度も話してくれました。母には、フィリピンのレイテ島で戦死してる兄がいて、それが一家の長男で、私の伯父です。その伯父のこともよく話してくれました。だから私は、婿養子だった父の戦争体験についても教えてくれと幾度も頼んだのに、絶対に話してくれなかったんです。それが、ある夏の日のこと、私がアメリカの東部やミシシッピ州で調査旅行した帰りにモンタナ州に立ち寄って、大規模な森林火災に遭遇した夏のことです。東京に戻った日に、無事に戻ったと実家に知らせましたが、その電話に出たのが父でした。私は、森林火災の煙が、遠くから見ると雲のようにたなびいて広がっていたことを父に告げました。すると父が「それは、キノコ雲よりすごいんだろうな」って言うんです。私は、「エッ、キノコ雲？　どうしてキノコ雲のことなんか知ってるの？」って思わず尋ねました。父は、自分がなぜキノコ雲を見ることになったか手短に説明してくれたんです。「その二日後に命令が出て、部隊が全員で広島に救援に入ってな」って。父たちは、残骸の街で黒焦げの死体を目撃し、火傷で死にそうな人の「救援」活動をしたんですよ。何も話してくれなかった父が、森林火災の煙の雲の話につられて、フッと口にしたんです。父の二三歳くらいのときの経験です。私にも家族の誰にも語らなかった経験です。五〇年ものあいだ……。

BH　五〇年ねぇ。なるほどねぇ……。考えてみれば、私たちが「解放運動経験者ベイエリアの会」で毎月の集会を始めたころ、南部を去った後のことを話し始めました。仲間の一人がこう言ったんですよ。「一九六〇年代後半に南部を去ってから毎月の会で会うようになるまで」、ちょうど二〇〇〇年ころまでのあいだですね、「自分が解放運動の活動家だったってこと、誰にも話したことがなかった」って。三人か四人が自分もそうだって言うんですよ。実は、私もそうだったんです。私自身、誰にも話したことがなかった。運動についてこうだったって伝えたこともなかったし、書いたこともなかった。だから、ちょうど三〇年か三五年のあいだ……、黙ってたんですよ。

――それは、本当ですか！　どうして話そうとは思わなかったんですか。忘れたかったんですか。

BH　そうねぇ……理由はいくつもあったと思いますよ。一つには、心が傷ついていて、まだ話せなかった。人びとが南部で耐え忍んでいた惨状のすさまじさを思い出すと心が痛んだ。それにもっと心が痛んだのは、その南部を去ったことから来る喪失感があったからだと思いますね。南部での活動に使命感をもって携わったことで、私たちは大きな衝撃を受けてたんです。私たちが南部を去らなくちゃならなかったとき、私の場合はもう精神的に消耗してボロボロで、肉体的にも痩せて体重が一三五ポンド〔約六一キログラム〕まで減ってました。だから去らなきゃならなかった……。でも、去りたくなかった。去りたくなかったのに、去らなきゃならなかった心の葛藤、それは辛いものでした……。自分たちが目にした暴力や恐怖がこの世の中にあるっていう心の痛み、それらに対抗する活動を辞さなきゃならなかった痛み、そんな心の痛みを思い出して味わいたくなかったから、沈黙してたんですよ……。

私は、北部での公民権の活動に携わって、政治的な活動を続けてました。それに、一九六〇年代前半の南部では非暴力が叫ばれていて、人種統合の考え方が主流だった。ところが、一九六〇年代末の北部では、ブラックパワーやブラックナショナリズムや革命といった考え方が左翼活動家たちの主流になっていたので、私が南部での活動について話すと、それは〔白人社会への事実上の同化を示す〕人種統合主義だって、非難されました。だから例えば南部でSCLCの一員として活動していたから、〔非暴力を目指す人種統合主義者として知られる〕キングと活動していたなんて言えなかった。言おうものなら、とんでもない反撃を食らったんですよ。左翼の私がね。

——ヘエ……、そうだったんですか。

BH　日本の学生運動でも、[12]一つの派に属せば全員が同じ見解をもたなくちゃならない。その点は同じだった。でも、私たちは、日本の学生運動家たちほど整然とはしてなかった。全員がヘルメットをかぶって活動するなんてことはなかった。「ワッショイ、ワッショイ」って活動する姿を見て、私たちは、うらやましいって思ったものですよ（笑）。そういうイデオロギー的な厳しい差異化、それは理論上のものであって、現実とは乖離したものでしたね。南部の現実はもっと重かった……。私の経験は特殊なものかもしれません。最左翼の人たちと交流してましたからね。それでもまあ私たちは、二〇〇〇年になってやっと南部での経験を語って、自分たちの恐怖感を蘇らせ、心の痛みを蘇らせることにしたんです。

——なるほど。そうだったんですか……。今ここ南部に戻っていて、何か心境の変化はありますか。

BH　そうだな、南部をあのとき去ってから、ええっと、二〇〇五年まで南部には戻ってないですよ。……約四〇年間ですね。アラバマ州のセルマからモントゴメリーまで行進するっていう一九六五年の「橋を渡る行進」の四〇周年記念行事で南部を再訪すると決めたとき、不安でした。……南部に戻ってみると、アラバマ州を車で走ってるときのことですが、小作農民の小さな小屋《ショットガン・ハウス》がなくなってるのが衝撃でした。一九六〇年代に南部に入ったとき、一番驚いたのは、刑務所に入ることでも、大衆集会のことでも、クラン〔KKK〕による暴力事件でもなくて、人びとが生きていた極限の貧困でしたからね。だから、四〇年後に車で走っていて、農村地域の貧困が消えてるってことは衝撃でした。今じゃ南部の状況は改善されたんだって思った。ただそれも、小作農民の仕事が綿摘み機械の普及なんかで不要になって、貧しい人びとが都市に移住せざるをえなくなって、貧困が都市に移っただけだっていうのに気づくまででしたがね。それから……、私がセルマにいるときのこと、腹が空いたんで、あるファミリーレストランに入ったんです。そこでは、黒人も白人も一緒に食事をしてましたよ。食べ物はまずかったけど（笑）、その光景は、そりゃあ驚きだった。黒人の警察官もいて、大きな変化ですよ。もちろんまだまだ不当なことは多いし、差別も、貧困の問題もありますけどね。

——それで今もご自分と南部とのあいだに何か絆のようなものを感じますか。

ハートフォードさん
（公民権活動の写真をアレンジした壁を背にして）

ＢＨ　うーん、南部との絆というより、……活動との絆ですかね。私は、南部に来る前にカリフォルニア州で活動してましたから。今もカリフォルニア州でも活動があると出かけて行きます。ところで、大学で公民権について教えるとき、運動が連邦最高裁の判決から始まったなんて教えないでくださいよ。

——もちろんですよ。だから地元の活動家の書いた自伝を日本語に翻訳してきたんですから。日本でも、マーティン・ルーサー・キングは公民権運動の指導者だっていう「マスターナラティヴ」をよく聞きますけどね。

ＢＨ　キングは、指導者というより演説家だったって、私は思ってます。今でも、テレビで何か言っている人、メディアに取り上げられる人が指導者だって、勘違いする人が大勢いる。公民権の運動について言えば、演説家が指導者とは限らないっていうことですよ。

――本当にそうですね。きょうは、ありがとうございました。最後に写真を撮らせていただけませんか。

BH　ええ、もちろん。どこがいいでしょうね。……この公民権活動の写真のあたりでどうですか。

――いいですね。では三枚撮ります。……ありがとうございました。

＊父は二〇〇七年に八四歳で他界した。アン・ムーディは二〇一五年に他界し、そのささやかな告別式には少数の活動家が参列した。(13) ブルース・ハートフォードさんは現在も健在で公民権の活動について論考や体験記を執筆している。(14)

スキワーキー墓地にて

デイヴィッド・セセルスキ（樋口映美訳）

思い出すことが一つあります。ノースキャロライナ州ウィリアムストン市のマーティン郡公立図書館で、確か *Along Freedom Road* という私の最初の本について講演しているときのことだったと思います。(1) 私は、いつもするように自己紹介を兼ねて、ウィリアムストン市とマーティン郡について自分が書いたことのある歴史のテーマをいくつか紹介しました。その流れで私は聴衆のみなさんに、ウィリアムストンから東に数マイルのデヴィルズ・ガットというところで一九五七年に若いアフリカ系アメリカ人の男性がリンチされた事件について、一〇年ほど前の新聞に書いたことを話しました。(2) そう告げた瞬間、後ろのほうから小声でつぶやく男の声がしました。「ひでぇこった。マーティン郡じゃ、黒人でなくたってリンチされるんだ」と。

その声に私ははっとしました。前列の席に座っていた老女はそのつぶやき声に、突如、顔色が蒼ざめて心配そうな表情になりました。

その日の夕方、そのリンチの話の大枠が明らかになりました。講演の後の懇親会で、数人の人びとが、後方の席で男性がつぶやいたのは何のことだったかを話してくれたのです。それは、一九二五年のことで、白人の一団がマーティン郡の監獄に押し入って、ジョセフ・ニードゥルマンというユダヤ系の若者を連れ出したというのです。その若者は、地元のエフィ・グリフィンという女性を強姦したと咎められていたんです。白人の一団は、若者をスキワーキー・プリミティヴ・バプティスト教会（以下、スキワーキー教会）の墓地に連れ出して、去勢すると、死んでしまえとばかり墓地に置き去りにしたのです。(3)

ニードゥルマンは、どうにか死なずに済みました。よろめきながら町にたどり着いて、誰かに助けられて、ノースキャロライナ州ワシントン市の病院に大急ぎで運ばれ、緊急手術を受けました。その後の大陪審では、ニードゥルマンを強姦の罪で起訴するには証拠が不十分だということになり、別の大陪審で、ニードゥルマンを襲った者たち一八人が起訴されて一〇人に懲役刑が下されました。これが、ノースキャロライナ州においてリンチ決行者の一団に有罪判決が出された最初の裁判になったというわけです(4)。

それに私は、後方の席でつぶやいた男性の名がポール・ピール・ジュニアであるということと、あの夜のスキワーキー教会の墓地で何が起きたかを、ミスター・ピールほどよく知っている人はいないということも知りました。あの白人集団の一人が、ミスター・ピールの祖父だったのです。

その日の夕刻、私はミスター・ピールに会って、二人でちょっと話しました。ミスター・ピールは、ウィリアムストンから数マイル南方にあるグリフィンという町のタバコ農場で育ち、思慮深く、はっきりした口調の八三歳でした。ミスター・ピールは、自分の母親のことを私が一〇年ほど前に書いたからというので、私の講演を聞きに来てくれたのでした。私の書いた話は、母親にも自分にも意義深いものだったとミスター・ピールは話してくれました。

私は、ミスター・ピールの母親マートゥル・ピールのことをよく憶えていました。一緒にいて気持ちのよい人で熱心に応対してくれましたから、ミセス・ピールとのインタビューは非常に楽しい時間でした。その生涯について長い歴史の聞き取りをして録音したのですが、私の書いた話は、一九四〇年代にマーティン郡で初めての移動図書館で司書として働いていたミセス・ピールの先駆的活動を中心にしたものでした(5)。

とにかくこうして知り合ったミスター・ピールと私は、〔リンチの起きた〕町の過去を、その夜を起点に探り始めることになったのです。私たちは、スキワーキー教会の墓地であの夜いったい何が起きたのかを掘り起こすことにしました。

やがて、ミスター・ピールが私を招いてくれましたので、私は、ウィリアムストン市から西に四五マイルほどのロッキー・マウント市にあるご自宅を訪ねました。私たちは事件について午前中ずっと話し、繁華街に出て食事をしながらまた少し話しました。ミスター・ピールは、ウィリアムストンで私たちが初めて会った後も事件についてずいぶん調べていました。裁判所の記録にも数々の新聞記事にも目を通していました。それに、白人集団にいた男たちのほかの子孫たちからも話を聞いていました。そのなかの多くが、グリフィン町出身の親戚や家族の知り合いたちだったのです。

私も自分自身でかなり掘り起こしていました。とりわけ州レベルと全国レベルの新聞を読んで、その事件について考えていました。それからちょうどウィリアムストンの西にあるロバソンヴィルという町からやって来て、白人集団に加わったかなりの数にのぼる人たちについても調べてみました。ロバソンヴィルには私の旧友たちが住んでいたのです。

ミスター・ピールが言うところの白人集団は、二五人から三〇人ほどの集団で、私はそのことに一番興味をそそられました。その男たちを、ミスター・ピールは弁護したりはしません。自分の祖父でさえも弁護しませんでした。白人集団に加わった祖父は、暴力が激しくなるにつれて、何人かと同様にその場から後退したのは明らかでした。そういう祖父でも、ミスター・ピールの批判的視点からの調査と倫理的判断では、無罪放免とはならなかったのです。その祖父をミスター・ピールが愛し尊敬していたことに私は敬意を表します。ミスター・ピールは、祖父が自分にとっては父親のようなものだったと話してくれました。しかし、その祖父の全貌を、美徳も罪も含めて見なくちゃならんと主張していたのです。

ミスター・ピールは、その男たちの心深く宿る魂について簡単に結論を出してほしくなかったようです。「あの連中は、高潔な男たちだった」と、ミスター・ピールは私に語りました。その男たちの一人クレアレンス・ガーキンは、日曜学校の教師で、マセドニア・クリスチャン教会の信徒伝道者だったのです。ミスター・ピールは、「あの人は、教会の中心人物だったんだ」と思い出しながら話してくれました。

もう一人、ジョニー・ガーキンは、農場経営にも成功し、タバコの葉やピーナッツの売買と、ウィリアムストン市の最初の自動車販売直営店ディクシー・モーター社の経営にも関わっていました。ミスター・ガーキンについてミスター・ピールは、「郡内で一番尊敬されている人を挙げれば五本の指に入るさ」と言うのです。ミスター・ピールの祖父とジョン・トマス・スミスウィックをはじめとする多くの人びとが農業で収益をあげていました。(6) その人たちは、教会に通う立派な、家族思いの男たちで、地元地域社会の中心人物だったわけです。多くがそういう人びとでした。(7)

ミスター・ピールは、その集団の男たちがみな心を一つにしていたわけではないことを理解してくれと言いました。なかには、小型ナイフを振り回してジョセフ・ニードゥルマンの性器を切断したデニス・グリフィンのような、ミスター・ピールの言うところの「怒りっぽい者」もいました。デニス・グリフィンは、ミスター・ピールのおばから部屋を借りていましたから、その人柄は、ミスター・ピールの家族の者たちに少し知られていたのです。

それでも、ミスター・ピールの判断によれば、ほかの男たちがあの夜、連れだって行ったのは、疑いもなく忠誠心からだったというのです。エフィの家族を知る者たち、その父親たちや兄弟たちやいとこたち、あるいは、エフィに求婚していた者たちの縁者だったというわけです。(その求婚者については後ほど触れます)。そのなかには、自警団のような立場からジョセフを驚かせるくらいのことだろうと思っていただけで、ジョセフに重傷を負わせるとか、まさか去勢したり殺したりするなどとは考えてもいなかったという者たちも含まれていました。もちろん、血を流そうと思って出かけた者たちもいたのです。

ミスター・ピールは私に、この事件を『聖書』の視点から、事件当時のノースキャロライナ州東部で人びとが物事の善悪を判断していた、いわゆる『聖書』の教えに基づく視点から考えてみてはどうかと勧めてくれました。ミスター・ピールは、それこそが、自分の祖父をはじめ白人集団に加わった男たちが、あの状況に対処しようとして考えたことだと思ったわけです。「創世記」の箇所を指して、ミスター・ピールは、エフィが強姦されたという疑念を、ヤコブの娘ダイナが受けたとされる強姦と比較したのです。「創世記」では、ダイナの兄弟たちが、ダイナの強姦に対する復讐をしようとして、襲撃者のいる村の男たちを皆殺しにし、女や子供らを捕らえて所持品を奪いました。

それとは逆にミスター・ピールは、再び「創世記」を指して、神がソドムとゴモラを滅ぼす一連の出来事の箇所を参照しました。一九章の一行目から二二行目で、そこでは忠実なロトが、神によって自分に遣わされた二人の天使を群衆から守るために、強姦してもよいと言わんばかりに自分の娘たちを群衆の前に差し出したと書かれているのです。

ロトの考えは〔スキワーキー教会の墓地の白人〕群衆が考えていたことではありませんでした。「ジョニー〔・ガーキン〕とその仲間たちにはロトの言動を受け入れるような不名誉なことはできなかったろう」と、ミスター・ピールは説明してくれました。

白人群衆のなかには、こうした『聖書』に示されている視点からスキワーキー教会の墓地のあの夜のことを考えて、そのまま良心の呵責もなく人生を歩き続けた人びともいたことでしょう。その人びとは、自分たちがダイナの兄弟のように行動したにすぎないと考えたのです。禁固刑を終えた後、その大半の人びとは「地域社会の中心人物」であり続けてさえいたのです。

しかし、全ての人びとがそうだったわけではありません。裁判の数日前のこと、白人群衆の一人トム・リリーは、二二口径のライフルで自殺していました。

私は、ミスター・ピールが自分の考えを表明してくれたことに感謝しました。スキワーキー教会の墓地での出来事をエフィとジョセフの目からはもちろんのこと、白人群衆の目からも見るようにと、ミスター・ピールが私の注意を促してくれたことを賢明だと思いました。ただ私はどう考えても、あの夜の出来事を理解するのに『旧約聖書』と結び付けるのが果たして妥当なのかと思うに至りました。少なくとも、『聖書』の文言を調べるだけで、あの夜の出来事が理解できるわけではないだろうと思ったのです。

いずれにせよニードゥルマンの事件についてわからないことが私にはたくさんありました。懸命に調べたにもかかわらず、ミスター・ピールと私は、事件の全容の非常に重要な多くの部分が未だ不明だということを共に認め合いました。

例えば、ジョセフはエフィに対して本当に性的な嫌がらせをしたのでしょうか。そうかもしれません。ただ、裁判官と陪審員は、そうは判断しなかったのです。それに、強姦があったと見なされた後にも二人が一緒にいるのを見たと証言している人が少なくとも一人いました。ジョセフが、ウィリアムストンの洋品店で働くエフィを訪ねていたのです。その目撃者は、二人が互いに礼儀正しく対応していたと証言しました。ジョセフは、窓際の展示を整えているエフィの手伝いをしていたというのです。

今もささやかれていることですが、もう一つの可能性があります。裁判でジョセフが断言したように、ジョセフとエフィはこっそり愛し合っているところを見つかったというのです。録音はしてありませんが、私がウィリアムストンで、エフィとその家族の近隣で育った人びとから聞いたところによると、おそらく二人はそんな間柄にあっただだろうというのです。

とはいえ、その人たちが二人の関係について実際にそうだったと知っているわけではありません。又聞きの情報ですが、ウィリアムストン公立図書館で〔私が講演した〕あの夜、〔後方から聞こえてきたつぶやき声に〕蒼ざめて困惑の表情を浮かべた女性は、二人がそういう間柄だったというのを知っていたのだと、私は後で聞かされました。その女性の父親が、白人群衆のなかにいたということもわかりました。

ほかにも疑問点がありました。ジョセフがユダヤ系だったことも襲撃されたことと関係していた可能性があったのではないかということです。ユダヤ系の擁護団体は州レベルの組織も全国的な組織も、そういう問題だったろうと想定していました。そして、州知事がこの事件に熱心な関心を示した理由について多くの人びとは、もしユダヤ系の人びとに対する強い反感が州に存在すると思われてしまえば、北部のユダヤ系の企業家がノースキャロライナ州での繊維工場建設や投資を差し控えるようになるという心配があったからだと、確信していました。

それは当然のことでした。事件の起きる前の一〇年ほど、ユダヤ系に対する反感情は、南部で強まっていました。一九二五年には、クークラックスクランの活動が全国的に復活して、幾度となくユダヤ系の人びとが攻撃されました。(8) ユダヤ系の人びとに対する熱狂的な反感情を生む気配が一九二〇年代のウィリアムストンにあったとは思いませんが、私は、その事件当時のウィリアムストンに住んでいたユダヤ系の三、四世帯の家族の子孫を見つけることができずにいて、その人たちの話をまだ聞いていないのです。ただ私は、ノースキャロライナ州東部の近隣でユダヤ系の人びとに対する反感情が歴史的に顕在したことを調査で確認したことがあります。

それから、ジョセフが同地に移ってきたばかりの新参者、つまり〔南部諸州で〕多くの人びとが〔対抗心や警戒心をもって〕言うところの［北部諸州出身者］ヤンキーだったことも関係しているでしょう。ジョセフは、〔ペンシルヴェニア州〕フィラデルフィア育ちで、その家族にはニュージャージー州に親戚がありました。ジョセフはノースキャロライナ州東部に来てからわずか二、三年しかなく、タバコを売り歩く行商をして生活していました。

疑問はまだあります。例えば、エフィがファーニー・スパローと結婚したことをどのように説明すればよいのでしょう。エフィは、スパローがスキワーキー墓地で白人集団に加わった事件の後、まもなくスパローと結婚したのです。エフィとスパローが愛し合っていて、許婚《いいなずけ》がジョセフに強姦されたと思ったスパローが復讐しようとしてジョセフを去勢したというのは考えられることでしょうか。

あるいは、エフィがほかの理由で自分と結婚するようにスパローを説得したのでしょうか。それは一つの可能性だと、ミスター・ピールは真面目に考えていました。エフィはウィリアムストンで後に、事業で成功するのです。それは、南部の小さな町で自立して生活する女性がほとんどいない時代のことでした。自分の事業を経営する際にエフィが示した計画性と洞察力から推察してみると、ミスター・ピールには、スキャンダルを凌ぎ将来への足掛かりを築くために結婚が必要だと思わなければ、エフィが大急ぎで結婚するわけがなかっただろうと思えたのです。

おそらくエフィは、妊娠していたことでしょう。とするとほかにも大きな可能性が浮上し、どちらがどうというより、どれも同程度の可能性があるように思われました。エフィの家族の男たちが、ジョセフとの関係が明らかになったので、家族の名誉を「守る」ためにエフィに〔他の男性、つまりスパローとの〕結婚を急がせた可能性もあります。

こうした推測のいずれをとっても、心が痛むものばかりです。なかでも、ジョセフとエフィが実際に愛し合っていたという可能性は、最も悲しい物語のように思われます。二人は実際に愛し合っていて、それが発覚したことで、ジョセフが〔性器を〕切断され、エフィが愛していない男と結婚を強制された可能性もあります。（ついでながら、二、三年後にエフィは離婚しました。）他にもいろいろ推測はできるものの、ミスター・ピールも私も、この事件のことを知っているとは言えないのです。


これまで歴史研究の仕事をしてきましたが、調査を進めて幾層もの事実を考えあわせているうちに、過去は徐々に明らかになってくるものです。しかし、この事件ではそうなりませんでした。多くの人びとと話をすればするほど、裁判記録とその後の説明を読めば読むほど、私は、ますますわからなくなりました。この事件のことを熟知している人びとが話そうとしないのですから、仕方ありません。その人びとは、〔話さないことを〕ミスター・ピールの親戚の一人と約束したのです。それで、この事件には意図的な計画など何もないのだから、「さわらぬ神にたたりなしだ」とだけ、ミスター・ピールは聞かされたそうです。

現存するスキワーキー・プリミティヴ・バプティスト教会。墓地は裏手に。
（ディヴィッド・セセルスキ撮影）

大勢の人びとが私たちのどちらかと話したがったのですが、情報をもっていたわけではありませんでした。あの事件のころ、その人たちはまだ幼い子どもで、大人たちは、ジョセフとエフィの話になると黙り込んだからです。

こうして私は、この事件について何か書こうとするのをあきらめていました。今の今まで。しかし私は、ミスター・ピールから教わったことも、ウイリアムストンで過ごした時間のこともきっと忘れないでしょう。あれから何年も経ちましたが、一年に二度か三度は車でスキワーキー・プリミティヴ・バプティスト教会のそばを通りかかります。そういうとき私は、あの夜のことやあの人びとのこと、ジョセフやエフィや白人群衆の男たちのことを思いめぐらします。そして、その人たちみんなに小さな祈りを唱えてみるのです。

「邦人七名殺戮」の風説

――トレオン中国人移民虐殺事件（一九一一年）と日本人移民

佐藤勘治

メキシコ北部コアウイラ州の炭鉱で働いていた山入端萬栄《ヤマノハマンエイ》（一八八八年沖縄生まれ）は、三年の契約労働を終え、米国境の町エルパソへ向かうために車窓の人となった。車中、山入端は中国人移民虐殺の噂を耳にする。

此ノトロン〔トレオン〕市デ汽車乗リ換エデ、私ガ行ク北方エハ、未ダ半時間ノ食事ノ便宜ガアッタ。私ハ飲食取ラズ、支那人殺サレタ場所、支那人街エ見物ニ行ッタ。見ルト各家屋内デヤラレタ足セキガアッタ。或ル土人ガ云フニ、四五日前ニ百名ノ支那人ガ、此ノ支那人街デ殺サレタト。

私モ永イ間見ル時間ガナカッタ。早速ステーションへ帰リ、汽車ノ御客トナリ、手早クカバンノ中ヨリ、小形ノ日本国旗取リ出シ、私ノ窓ニハリ付ケタ。実ワ私ワ日本人デアル事ノ意味デシタ。[1]

山入端がコアウイラ州トレオン市「支那人街」で確認したのは、一九一一年五月一五日、中国人移民約三〇〇名がほぼ半日間に虐殺された事件である。[2]

一九一一年五月は、メキシコ革命初期、ディアス政権打倒が決した時期に当たる。ディアスは二五日に辞任、月末にはパリに向けて亡命した。虐殺を行なったのはマデロ派革命軍兵士だとされている。マデロ派とは、フランシスコ・マデロによるディアス政権打倒の武装蜂起の呼びかけ（蜂起日一九一〇年一一月二〇日）に応えた人びとのことである。トレオンがあるラグナ地方でマデロ派を率いていたのはフランシシコの弟エミリアノであった。マデロ家は大農園などを経営するラグナ地方の名家で、フランシスコの祖父はかつてコアウイラ州知事を務めたことがあった。事件は、トレオンを守っていた政府軍が一五日未明突然撤退、代わってマデロ派革命軍が一斉に街に入ったとき、権力交代の無政府状態を背景として発生した。マデロ派によるトレオン奪取はディアス政権打倒を決定付けた出来事の一つである。

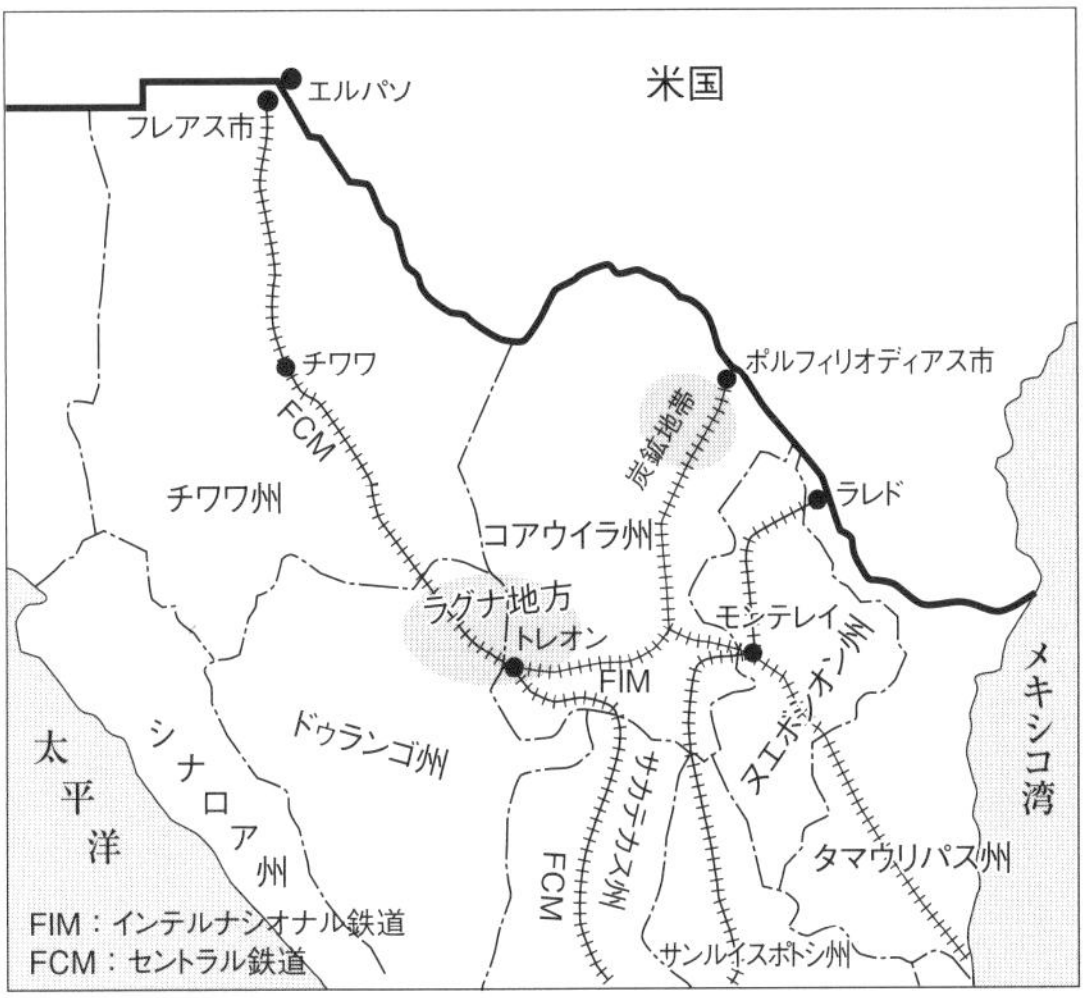

メキシコ北東部（1911年ごろ）

佐藤勘治「メキシコ北部開発における東洋人移民労働者の役割、1882－1929年」『アジア経済』第39巻第9号（1998年）、8頁、所収地図をもとに作成。

山入端がトレオンを訪れたのは、この手記にしたがえば五月一九日か二〇日ということになる。山入端には、明治維新期に清国に逃れ辮髪をつけて帰島した叔父がいた。その点で本土出身の移民より一層の緊迫感があったと想像できる。なお、山入端の米国入国は結局実現せず、政府軍将校の運転手を務めたのちキューバに転進している。

一九一〇年の国勢調査によれば、メキシコ全土の日本人数は二二一六人であり、コアウイラ州には四一〇名が居住していた。開発途上にあったメキシコ北部は人口希薄で、比較的高賃金の就労機会があった。山入端同様、国境線近くで米国入国の機会をうかがうものも多かった。日本側資料によれば、契約移民が始まった一九〇一年から日米紳士協定がメキシコに同時適用された一九〇七年までに、約一万一〇〇〇人の日本人がメキシコに渡っている。この数字を考慮すると、居住者実数は国勢調査の数字より多かった可能性がある。

一方、メキシコの中国人居住者は、同国勢調査によれば、一万三二〇三人、コアウイラ州全体で七五九人（内女性一四人）とされている。米国の排華移民法（一八八二年）以降、中国人移民の流れは米国からメキシコ方面に移った。日本人移民と同じ理由で、北部に居住する傾向があり、就労場所が重なっていた。米国入国を図る中国人がいた一方で、後に紹介するように米国から転進して成功した中国系移民もいた。(3)

「邦人七名殺戮」の風説

首都メキシコ市の新聞で中国人虐殺の第一報が伝えられたのは、事件から一週間経った二三日である。

ポルフィリオ・ディアス市〈現ピエドラス・ネグラス〉五月二三日　鉄道ホテル支配人フォンチュック氏は、同胞多数がトレオンで死亡したとの知らせを受けた。本月一六日付けで、いとこから同氏に送られた情報によれば、同氏のクリーニング店で四名、鉄道ホテルで九名、同氏の農園で三二名が死亡した。また、一六九名の中国人と七名の日本人が通りで殺害された。

フランス・ホテルではドイツ人一名、スペイン人二名、サルバドル・ホテルではメキシコ人多数が死亡したとの噂が流れている。また、アメリカ人多数が暴動の最中に死亡したことは確実であるが、この点についてはまだ確認されていない。[4]

記事は欧米系住民死亡の噂を伝えている。革命軍によるトレオン奪取と略奪が確実視されていたため、略奪を恐れた欧米系住民はこのときまでに多くが米国に避難していた。一方、日本人殺害の報は噂としてではなく断定調で、しかも中国人と並列されて記されている。記事中に名があるウォン・フォンチュックは、米国から転入した中国系実業家であり、トレオンにも多くの資産があった。ウォンについては後述する。

欧米人殺害は誤報であった。では、日本人殺害はどうだったのだろうか。在メキシコ臨時代理公使堀口九萬一は早速確認に動いた。以下は、外務大臣小村壽太郎宛て打電である。本省二七日着と付記されている。

五月二十一日「トレオン」市陥落ノ際、清国人二百二十四人ト共ニ、本邦人七名モ殺戮サレタル風説アリ。目下事実調査中ナリ。尤モ墨市ヨリ同市ヘノ通信交通機関、数週間来途絶シ居ルヲ以テ、調査頗ル困難ナリ。[5]〔句読点は引用者。以下日本外交文書については同じ。〕

トレオン陥落は一五日であるから、電文冒頭の「二十一日」は誤りである。電文にある清国人犠牲者数は前記新聞記事から算出した総数だと思われる。同年七月に出された米清合同調査団「覚書」では、犠牲者数は三〇三名とされ犠牲者名簿も作られた。この虐殺事件が扱われる場合、後者の数字が使われることが多い。トレオン市の人口は当時約三万人、中国人住民は六〇〇人ほどとされている。中国人住民のおよそ半数が虐殺されたことになる。

米清合同調査団「覚書」

虐殺事件の推移を正確に知ることは難しい。以下は、上記「覚書」に記された一五日の描写である。「覚書」は、賠償金請求の根拠を示すためのもので、犠牲者側の立場に立って調査団が聞き取った様々な証言から、最も残虐なシーンを拾い上げている。ただし、虐殺時の個々の描写に確実な根拠があるわけではない。

同日〔五月一五日〕早朝、マデロ派軍は抵抗を受けることなく市街地に入った〔五月一三日、マデロ派革命軍がトレオン攻撃を開始し、政府軍との間で戦闘が翌日も続いた。政府軍は、五日未明、雨中撤退した〕。市街地に入るとすぐに攻撃対象を中国人移民社会に定め、中国人住居と営業地の略奪が開始された。中国人所有物は価値があれば些細なものでも略奪され、住居と営業地は襲われて完全に破壊された。

略奪とともに殺人も行なわれた。兵士および同行してその指示のもとに行動していた地元群衆は、中国人住居を次々に渡り歩き、住居内でのこともあったし、街路にひきずり出した後のこともあったが、銃撃で倒しあるいは剣で切り刻んだ。街では中国人狩りが行なわれ、見つかると野蛮で残虐な仕方で全員が殺害された。身体から切断された中国人の頭部が窓から通りに投げられた。

ある兵士は、小さな男子のかかとを捉えて、脳髄がでるまで街路灯に打ち付けた。ロープを中国人の体に結んで、騎兵により街路を引き摺り回す例は多数見られた。足と手を馬にくくりつけ通りで引き裂かれバラバラにされた中国人もいた。虐殺が終わると、死体から金品を奪い、滅多打ちにした。ほとんどの死体から服が脱がされ、裸にされた。(6)

一五日正午前、トレオン入りしたラグナ地域マデロ派総指揮官エミリオ・マデロから虐殺略奪中止命令が出された。中国人殺戮の指示を出した革命軍部隊長は調査の中で特定されている。「見つかると〔……〕全員が殺害された」と上記にはあるが、自宅に中国人を避難させた外国人やメキシコ人、殺害を阻止したメキシコ人もいた。二〇〇人ほどが革命軍に「保護」収容された。様々な証言から判断すると扱いは悲惨で「連行」されたといった方がいい。収容先でも所持品が略奪された。市外に逃げ出した中国人もいた。

殺害に及んだ革命軍兵士たちは、中国人が政府軍側に立って革命軍に発砲したと主張した。正当防衛だという主張である。「覚書」は革命軍兵士の主張を否定し、革命軍からの一方的攻撃だと結論づけている。マデロ蜂起によって誕生した臨時政府も米清合同調査に調査官ラモス・ペドルエサを同行させ調査に当たらせた。同調査官による報告書は、「中国人が発砲したというのがトレオン住民の一般的見方であることは確かである」が実際に目撃したという証言は例外的にしか得られなかったとし、上記「覚書」を追認している。(7)

こうした公的報告書の結論とは反対に、トレオンおよびその周辺では上記の「一般的見方」にしたがって独自に事件が口伝されてきた。最後に見るように、事件から一世紀を経た現在、トレオンの街で採取される伝承では中国人の発砲を当然視するものが多い。

公使館の調査結果

日本公使館は二人の日本人から事件後情報を得ている。その一人である横飛（ヨコトビ、名は不詳）は、「ここに住んで長い間になるが、ほかの同胞が住んでいることを知らない」（電文、原文スペイン語）と返答している。また、トレオン近郊の町ビエスカの商店主ファン・K・ミズノは、四月からトレオンに滞在しているが、トレオンにおいて「一人も祖国の兄弟を知らない」（書簡、原文スペイン語）とし、公使館に日本人被害者はいないと報告している。横飛、ミズノとも、明らかに矛盾しているが自分以外日本人の存在を認めていない(8)。

日本公使館は、日本人移民だけでなく各国外交官からも情報収集した。清国公使からは「本邦人五名殺害せられ、他に三名行方不明」と伝えられている。しかし、それ以外の情報源は風説を否定するものだった。日本公使館は、結局、六月二四日付け外務省への報告書においてひとりの犠牲者もなかったと結論付けた。

ただし、風説の元と考えられる情報が外交文書に収集されている。トレオン在住ベルギー領事からの情報で、W・J・リン医師から聞いたとする推測情報である。リン医師は、事件調査の際、虐殺に関する手記を調査団に提出した中国系住民である。手記によれば、五日、赤十字の一員として虐殺の現場近くで医療活動中、彼自身、革命軍兵士から殺害の脅しを受けている。一七日には、中国人移民の居住地の多くを訪ねて被害状況を確認している。(9)犠牲者情報を直接詳細に知りうる立場にいた人物である。

リン医師の推測は、「ファルコン通りに五名あるいは七名の日本人が中国人何名かと住んでいたが、虐殺事件後、消息がわからなくなっている。おそらく中国人と同じ運命にあったのではないか」というものである。メキシコ外務省文書の中国人帰化者名簿によれば、リン医師は一八九九年メキシコに帰化している。米国からの転入者であり、英語、中国語、スペイン語が堪能であった。ファルコン通りの日本人に関して、日本公使館による確認作業が行なわれた形跡はない。

最近出版されたメキシコ中国人移民史研究でも、殺害人数に違いがあるものの日本人虐殺に言及しているものがある。その場合、研究書が依拠している史料は、在トレオン米領事員による六月七日付国務長官宛報告書である。「五月一五日、中国人移民三〇三名と日本人移民五名がエミリアノ・マデロ、ヘスス・カストロ、シスト・ウガルデ、エンリケ・マシアス、およびその他上官に率いられたマデロ派革命勢力によって殺害された」としている。(10)日本人殺害は米国側でも当然視されていたことがうかがえる。何を根拠に日本人犠牲者を明記したかは不明である。

トレオンの中国人

堀口代理公使は、虐殺事件発生の背景に中国人移民の経済的成功があるとみなしていた。五月二六日付報告では、トレオンの発展は中国人移民の力によるところが大きいと指摘し、具体的に成功例を挙げている。

同市在留外国人中最モ多クヲ占ムルモノハ米人及支那人ニシテ、殊ニ支那人ノ同市ニ於ケル勢力甚ダ盛大ニシテ、同市ガ今日ノ繁昌ヲ致シタルハ、支那人ノ力與リテ大ナリト称セラル。

同市最大ノ銀行ハ嘗テ康有為等ガ関係シ、現時支那人ノ経営ニ係ル清墨銀行ト称セラレ、又同市市内鉄道ノ持主及同市附近ハ勿論、墨国北方諸州ニ於ケル停車場旅館又ハ飲食店ノ持主ハ殆ンド皆支那人ナルノミナラズ、鉄道附近ノ農地ハ悉ク彼等ニ依リテ耕作セラレ、従テ野菜市場ノ如キハ全部支那人ノ獨占スル所ナリト云フ。而シテ「トレオン」市ハ實ニ北部墨西哥ニ於ケル支那勢力ノ中心トモ称スベキ所ナリトス。(11)

そして、「土人ガ常ニ彼等ヲ嫉視」するのは「自然ノ事」であるとして、中国人虐殺を他人事ではないと指摘する。トレオンには中国人移民と同等の成功を収めた日本人移民はいないが、もしも日本人が殺害されたとすれば、中国人と間違えられた場合であると付け加えている。

トレオンは、一八八三年に鉄道駅として出発し、その後鉄道交通の要衝として急速に拡大した新興都市である。米国人の手で都市設計された造成街区が初めて売り出されたのは一八八八年であった。メキシコの都市では中央広場に面してカトリック教会があるのが普通だが、トレオンの場合、バプティスト教会が置かれている。トレオンを囲むラグナ地方は、二〇世紀初頭には豊かな綿花地帯になっていた。また、ゴムを抽出できるグアユーレが自生していた。新たに誕生した町トレオンには外国人が経済的機会を求めて移住した。最大は米国人で、一五〇〇人ほどだった。メキシコで二番目の路面電車が走る近代都市であった。大規模な繊維工場、ゴム工場、製鉄所も進出した。中国人移民もトレオンの発展とともに増えていく。

前述新聞記事に登場するウォンは、一九〇六年に資金集めのためメキシコを訪れた康有為に協力して保皇会系清墨銀行創設に関わった一人である。中国人移民の多くがウォンの人脈でトレオンに集まった。銀行に関与したほか、新聞記事にあるように、ホテル、クリーニング店、野菜農園などを経営し、そのどの場所も虐殺現場になった。ウォンは、一八九〇年、米国からメキシコに転入、九二年にメキシコ国籍を取得、九五年にメキシコ女性と結婚している。トレオン創建の功労者として認められている人物である[12]。

日本公使館は、事件前から中国人移民について注目していた。「清国人」調査（一九〇七年）を担当した書記官矢田長三郎は、中央広場に面して建てられたばかりの煉瓦造りの清墨銀行を訪ねている。

ウォン一家
アロセナ博物館（トレオン）の展示パネルから（2018年5月8日筆者撮影）。同博物館展示では、ラグーナ地方の発展に貢献した移民として特に中国系が取り上げられている。

ウォンとも面談した。矢田によれば、ウォンは、年齢四〇歳弱、七年前無一文でメキシコにやってきたが、今は富豪である。英語が巧みで、体は小さいが顔つき精悍、弁舌爽やかで人を引きつける魅力がある。清国人子弟のための学校を自ら建設しているほどで、清国の革命のために教育が大切だと自説を展開したという。[13]

清墨銀行の建物に象徴されるように、トレオンにおいて中国人移民は確かに目立つ存在だった。中国人は、クリーニングや野菜栽培・販売、食堂、雑貨店といった庶民生活に近い分野の小規模自営業で活躍していた点に特徴がある。したがって、大農園だけでなく製鉄所も経営するマデロ家などの地元資本や欧米系資本に匹敵する経済力があるわけではなかった。例えば、トレオンに工場を設けた「コンティネンタル・ゴム会社」は米国の財閥ロックフェラー系列である。その点で、堀口が強調する中国人移民の成功は割り引いて見る必要がある。ただし、トレオンのメキシコ人の多くも堀口同様に感じていただろうと想像できる。略奪は欧米人の店でもおきたが、虐殺の対象となったのは中国人だけであった。

中国人移民虐殺事件伝承におけるビリャ

事件から半世紀以上が過ぎた一九七〇年代、『週刊日墨』（メキシコ市）に高木原茂兵衛（一八八八年生まれ）の証言が載った。[14] 七〇歳以上の移民一世にインタビューする連載企画の一環である。事件が起きたとき、高木原はトレオンに住んでいた。横飛、ミズノ以外にも日本人が居住していたということになる。高木原は、一八歳でメキシコに渡り、米国に半年ほどいたのちメキシコ北部の鉱山を転々とした。

内乱勃発の噂は草深い鉱山地方にまで知れてきたので、穴居生活を辞し、浮世に出るのに徒歩で六日間もかかり、食料や路銀もすっかりなくなり、持参のダイナマイトを切り売りして口をしのいだ。やっとトレオンの棉会社のメカニコ〔機械技師〕となったばかりのころ、ト市には堂々たるシナ人の銀行があり、革命の頭梁ヴィヤ将軍がその銀行に軍用金の供出を申し込んだところ、反対に支那人たちは同行の屋上から一斉射撃をヴィヤ将軍にくわしたため、鬼将軍の怒り心頭に達し、近郊在住のシナ人を引っとらえて皆銃殺してしまった。

彼自身は、「いつシナ人と間違えられ、殺されるかわからんので、一仏人銀行家のコックにしてもらって庇護を受け」たという。

フランシスコ（パンチョ）・ビリャ
手前騎乗しているのがビリャ。オヒナガの戦い（1914 年1月）で撮影された無声映画「ビリャ将軍の人生 The life of General Villa」の一コマだとされている。1914 年3月、ビリャ軍はトレオンを再奪取した。パンチョはフランシスコの愛称である。出所：George Grantham Bain Collection, US. Library of Congress, LC-B2- 3006-1 [P&P]. Digital Id: ggbain 15609 //hdl.loc.gov/loc.pnp/ggbain.15609

高木原の証言にある「ヴィヤ将軍」とは、メキシコ革命の英雄として今でも人気が高いフランシスコ（パンチョ）・ビリャのことである。ところが、史実ではビリャは事件当時ファレス市にいたため、事件に関与することは不可能だった。ただし、メキシコ史を少し知っている人にとっても、ビリャが登場することに違和感はない。ビリャ軍はトレオンを二度奪取しているし、ビリャ軍による中国人殺害の事例もあった[15]。史実に混同が生じてもおかしくない人物である。

同じ企画でもう一人、虐殺事件について語っている移民がいる。栃原権《ハカル》（一八八二年生まれ）は、米国に密入国しようと半砂漠地帯を横断したが、なかま二人が死亡して入国を諦めた。革命が起こるとビリャ軍に一時従軍していた。

革命花やかなりし折、中国移民が鉄道工夫として就働していたので、中央政府からぜひ銃をもってヴィヤ軍を反撃してもらいたいと申し込まれ、彼等一勢に立上って革命軍に立向かったけれども、ヴィヤ軍に一蹴せられるの憂目にあったのみか、三百名の支那人が銃殺せられ見事に復しゅうせられたので、同族視せられるまきぞえを恐れ、ぶるぶるの境地であった由である。(16)

中国人が反撃する理由は異なるものの、ビリャが登場する主要な筋は、高木原と同じである。二人の日本人移民が独自にこの物語を作り上げたとは考え難い。すでに流れている風説を日本人移民が受容し翻案したとみなすのが自然であろう。伝承におけるビリャの登場には明白な効果がある。虐殺実行者であったマデロ派兵士とその協力者である地域住民の姿が語られずに済むことになる。中国人移民虐殺事件を近年取材したメキシコ人作家によれば、トレオン住民の多くが中国人を殺害したのはビリャだと語るという。ビリャは今でもメキシコ人に必要とされる存在である。トレオンのタクシー運転手に中国人移民虐殺事件を知っているかとたずねたときの回答が紹介されている。

もちろん知っていますよ。カジノに大砲を一発打ち込んだが、そこには我が将軍ビリャを殺そうとして奴らが集まっていた。なにもかにもが奴らのものだったからね。そう、金持ちだったんです。我が将軍はおしめをつけて歩いているわけじゃなかった。一発食らわしてやったというわけです。[17]

こうした「記憶」に対抗して、近年、虐殺事件をより正確に伝える施策も行なわれている。トレオン市では、二〇〇七年、中国大使を招いて虐殺事件の謝罪行事を催し、中国人農夫の銅像を中国人農園跡地に設置した。二〇一五年には「記憶と寛容博物館」（メキシコ市）で特別展「二〇一一、トレオン中国人虐殺」が開催された。しかし、トレオン市の銅像の場合、何者かによってその後二度にわたって倒されている。[18]

シルヴィア・ヒルの巧みな生き方

ジャーマ・A・ジャクソン（樋口映美訳）

シルヴィア・ヒルは、相手が誰かによって付き合い方を選り分けて自分の身一つで巧みに人生を切り拓いて生きたようだ。ヒルは、一八三〇年に奴隷として生まれ、〔南北戦争後に〕四〇歳になるころにはヴァージニア州東部に小さな土地をもらっていて、小屋住まいをしていた。その地方では有力な農場経営者で医者でもあったウィリアム・グワスミーの遺言書で、ヒルは土地を贈与してもらっていたのである。(1)南北戦争が終わると、元奴隷として生きてきた多くの人びとは、男も女も、奴隷解放の意味を噛みしめ理解して、それが誰の目にもわかるようにしようと考えて、自分たちの人生を〔奴隷所有者や監視員によってではなく〕自分たちで管理していることを示す印として土地を所有するものだと考えていた。ヒルが住んでいたキング・ウィリアム郡は、肥沃な土地で知られていた。(2)奴隷制が廃止されて長い年月が経ったころにも、南部に住む黒人たちは、農地を耕すことで自立と自給自足が叶うと信じ続けていた。それが、自分の土地ならなおさらだったはずだ。(3)

南北戦争後もまだヒルは、戦争以前と変わることなくグワスミー一家のために働き続けながら、元所有者の遺言書によって得た土地を独自の方法で利用していた。ウィリアム・グワスミーの孫メアリ・バーンリー・グワスミー（以下、メアリ）の回想によれば、ヒルはその土地を、農地として作物栽培に利用するのではなく、花壇にしていた。自分の住む小屋の片方の脇に「丈夫なゼラニウム」を植え、注意深く耕した畑に小屋の屋根の輪郭に沿って藤を植えて、小屋の戸口から紫色の花が見えるようにしていた。(4)そういう花壇をつくるには時間と労力が必要で、そこにはその土地に寄せたヒルの自尊心がいかほどであったかを示しているようだ。小屋とそれを取り巻く見事な花壇は、一九世紀後半から二〇世紀初頭にかけて〔メアリの眼に映った〕ヒルが目指そうとした慎ましやかな高級感を示すには十分だった。(5)

ヒルの長年の生き方について、その実生活をグアスミー一家の娘〔ウィリアムの一八八五年生まれの孫〕メアリが回想録として書き留めている。それによれば、ヒルは、南北戦争前からグワスミー一家に奴隷として家事労働をして仕えてきた奴隷家族三世代目の一人だった。何百万人というアフリカ系アメリカ人と同様にヒルもまた、一八六五年の奴隷解放で自分の自由を噛みしめようとしたはずだ。しかし、ヒルには自分で使える資金が十分にはなかったようだ。それに、なぜかその理由についてメアリは何も述べていないが、ヒルには自分自身の子供がいなかったらしい。農業労働者だった夫デニス・ヒルは、一八八〇年代に死亡し、母親ケイティはと言えば、奴隷解放の時期に死亡していたとメアリは記している。(6) 自分自身の家族をこうして失ったヒルは、グワスミー一家なら何とか裕福な生活をさせてくれると考えたのかもしれない。奴隷制が廃止されてからの四〇年間、ヒルは家事労働者として比較的心地よい生活が送れるように思案したに違いない。バーリントンと呼ばれていた五〇〇エイカーの〔グワスミー家の所有する〕農場で、ヒルは、ウィリアム・グワスミーの息子ジョセフとその妻ジャネットの家の家事を切り盛りしていた。二人の間に生まれた五人の子どもたちの世話もした。その子供たちの一人がヒルについて回想録を残しているメアリだった。こうしてみると、一九〇六年に死亡するまで、ヒルは、〔七六年ほどの〕生涯をグワスミー一家のために捧げたことになる。(7)

ここで、困難な時代に巧みに生きたヒルの姿をメアリが書き記した、その回想録について改めて考えておきたい。それは、ヒルが死去して〔約四〇年〕後、〔メアリが五〇歳代後半の〕一九四〇年代に〔何を思ったか、メアリの手で〕書かれた回想録である。どうやらメアリには、奴隷制の時代には南部の農場にも普通の平穏があり、奴隷制廃止後にも白人と「例外的な」アフリカ系アメリカ人、ヒルもその「例外的」ななかに含まれると〔メアリは〕固く信じていたわけだが、その両者には互いに敬意を表する関係があったことを示そうとして、ヒルのことを回想している節がある。(8) その回想録は、一九世紀末から二〇世紀初頭にかけて南部白人たちが書き残した何百もの回想録と大して違わない。うわべはヒルについての伝記でありながら、奴隷制時代から一九世紀後半にかけての農場における日常生活を語る逸話と物語を集めたようなものに近い。メアリの回想録も、南部白人たちが南北戦争前の南部の栄光を綴るために残したような、典型的な回想録の一つと言えそうだ。(9)

南北戦争前の「古き良き南部《オールド・サウス》」を戦後になって記憶しようとする白人の回想と、奴隷制廃止後の自由を維持し意義深いものにしようとする黒人の決意、その両者が存在したことを考えると、そこに見えてくるのは、南北戦争後の南部を再建し誰もが足がかりを見つけようと懸命になっている最中に、南部の将来など考えていられないような恐ろしいまでの緊張感が日常にあったという現実だ。南北戦争後にジムクロウ体制として知られることになる〔白人優位黒人劣位の〕社会秩序が徐々に奴隷制度に取って代わった。法的に人種隔離を保障しているジムクロウ体制の下で、黒人の自由がそれとなく認められていくふうでありながら、白人優越主義が巧みに維持された。ジムクロウ体制下では白人と黒人との間に明確な境界線があり、一連の社会的・政治的・経済的な制約によってアフリカ系アメリカ人（黒人）は否応なく二級市民の位置まで退去させられていた。その一方で、アフリカ系アメリカ人たちは、概ね内向きになり、自分たち自身の世界を構築する準備を始めた。(10) ヒルが奴隷制度から解放されて自身の人生を歩んでいたのは、このような、抑圧と一触即発の緊張感とがみなぎる状況下だったことを確認しておかねばなるまい。

グワスミー一家の子孫たちは、ヒルと自分たちのあいだに互いを思いやる関係があったことをはっきり示す事例として、ヒルの土地のことを語ろうとする。その良好な関係とはもちろん、白人による支配と管理の下で維持されうる関係だったと言えよう。というのは、ヒルに及んだ支配の手が、ウィリアム・グワスミーの手で遺言書に定めれた、小屋とその周りの土地に関する制約から少し見えてくるからだ。その土地は、ヒルの所有だと認めつつ、その所有権は、ヒルがグワスミー一家のために働く限り有効だと記されていた。さらにグワスミーの遺言書には、その「家と土地は、シルヴィア・ヒルが不在になったときは、私の領地に返却される」と明記されていた[11]。所有権をこのように制限する取り決めによって、ヒルは、土地を売ることも、自分の家族や友に譲り渡すこともできなかったということになる。

住む場所といくらかの土地の所有権を保障するという見通しを与えられていたところで、それは、条件付きの遺産を、条件付きだとヒルが知って、取るに足りないものだと退けていたかもしれないような代物だった。白人優越主義はこうした新たなやり方で、一九世紀から二〇世紀にかけての世紀転換期にどうにかこうにか生活の糧を得ようと懸命になっていたアフリカ系アメリカ人たちの気力をくじくように立ちはだかっていた。現にそれは、差別意識を強めたばかりか、黒人たちがその能力に応じた仕事に就きたいと望んでも就けないような状況をつくり出していた。なかでも家事労働は、長時間で勤務時間も一定ではなく、低賃金だったため、職種の序列では最低の職種だった。とはいえ、奴隷制廃止後の南部で働く黒人女性たちには、他にこれと言って就ける職もなく、家事労働者と言えば黒人女性だった。奴隷として家事労働をして中年になったアフリカ系アメリカ人女性たちの多くは、それまで働いていた家族の元を去ったが、ヒルはグワスミー一家のために働き続けた(12)。

家事労働で雇われる身にあったヒルは、白人優越主義が立ちはだかっている中で生きるために、忠誠心を盾に立ち向かった。自分の長年にわたる献身ぶりを実践し、グワスミー一家の信頼を深めるために巧妙な戦略で臨んだようだ。メアリの回想に描かれるヒルは、時代が大きく変わる直中にあることを心に留めつつも、奴隷制時代の黒人と白人との互いのやりとりの作法と慣習を守り、敬意を表する身のこなしでグワスミー一家に接していたようだ。ウィリアム・グワスミーが他界してから長年が経過しても、ヒルは、ウィリアムのことを自分の「ご主人様」と呼んだという。ヒルは、自分が世話をしている子供たちにも同様の呼び方を使って、「ご主人様の子供たち」と呼んでいたという。そういう接し方にとことん徹したヒルは、バーリントン農場での日常生活にまつわる陽気な話や子供たちの祖父母が抱いていた理想などをメアリとその兄弟姉妹に語って聞かせたので、〔一八八五年生まれの〕メアリら子供たちの心に〔自分たちの生まれる前の〕過去が生き生きと描かれることになったようだ。グワスミー家の人びとは、こうしたヒルの接し方に偽りなどないと受けとめて、ヒルが現状に満足していると信じ込んでいたようである(13)。

ヒルの恭《うやうや》しい言葉づかいや素振りが功を奏したのかもしれない。メアリには、それが熱心な宗教心に由来していると映ったようだ。神が、ヒルにしっかりと生きる方向と自信を与えているように見えたようだ。現にメアリは、ヒルの日常的な行為に神がいかに介在していたかを、その回想録に記している。「シルヴィアは常に神の存在を意識しているようでした。決して何かを得るために屈従することなく、人を脅して我を通すこともありませんでした。シルヴィアのまなざしは、ずっと遠くを見ているようでした」と。ヒルがこの世の小競り合いを気にすることなく異なる次元で行動することのできる何か本能的な能力をもっていて、もっと大きな目標を心に温めているようだったと、メアリは記している。ヒルがそういう宗教心をもっていたから「快活で純真で軽やか」でいられたんだ、とメアリには映ったようだ[14]。

強い宗教心を盾にして、ヒルは、自分の課題を自身の家事労働で秘かに実践する。ヒルは、一家に対して一層忠実で献身的でなければならないと考えており、それがグワスミー一家の人びとから絶大な信頼と確信を得ることにつながったに違いない。言い換えれば、他人の富に囲まれた人生を送りながら、ヒルは、自分の生活を心地よいものにしようと決めていたのだろう。その方策がいかに功を奏したかは、ヒルの遺言書から知ることができそうだ。ヒルは他界したとき、一二五〇ドル、現在なら六〇〇〇ドルほどの現金を残した。この現金は多額とは言えないだろうが、低賃金だったにもかかわらず、ヒルが貯蓄していたということを示している。おそらくヒルは、自分の食料と日常経費がうまく十分に支給されるように時間を惜しまず務めたのだろう。家事労働に勤しんだ時期、ヒルは、多くの贅沢品を所有していた。その大半がおそらく贈り物で、古風なベッドやマホガニーの洋服ダンスや見事な衣装や銀製とガラス製の食器などだった[15]。

こうしてヒルは、気骨と名声と徳義心のある女性と見なされるようになったに違いない。ヒルは、自分が単なる労働者以上の存在で、周囲の人びとに敬意を表される存在に見えるように振る舞った。ヒルは人目につかないように巧みにその努力を重ねたが、元奴隷とされていた人びとのなかには同じ努力を公然と見せた人もいた。例えば、一九三〇年代後半に何千人もの人びとがアメリカ合衆国政府に雇われて〔すでに高齢になっている元奴隷だった人びとを見つけてはインタビューをして〕取材した物語に立ち入ってみよう。その取材された人びとのなかにルイス・ジェファソンとヴァージニア・ニューマンがいた。二人は「インタビューされたとき」かなりの高齢であったにもかかわらず、自分たちがそれぞれ最初に購入した品物について昨日の出来事のように鮮明に思い出して自慢している。何と一一三歳だという高齢のニューマンは、自分が最初に買ったドレスのことを驚くほど詳《つまび》らかに語っている。あれは黄色の斑点がついた「長い青色のドレス」だったと、ニューマンは確信をもって語る。そして、一九世紀半ばに流行した上半身が体形にぴったりで腰のあたりでふっくらした丈の長いスカートになっているドレスでバスク風だったと細かに説明している。[16]一方、一八五四年に生まれたジェファソンも、初めて受け取った賃金のことを鮮明に憶えていて、あのときの一ドルは当時としては「大金」だったと言う。それを記念してジェファソンは、「そん金で自分の帽子を買ったのさ」と語った。[17]

丈の長いドレスや帽子は、ニューマンにとってもジェファソンにとっても、あまり実用的な買い物ではなかったはずだ。ニューマンは産婆で、長いスカート丈のドレスは全く実用的とは言えなかっただろう。なぜなら、出産には、能率よく仕事のできる動きやすい服装が必要だったからだ。ジェファソンには、太陽の光線を遮ってくれる麦わら帽子を買って一ドルを有効に使う気はどうもなかったらしい。それどころか、ジェファソンは、賃金を初めて手にした歓喜のままに買い物するほうを選んでいた。こうして実用的な買い物を二の次にして、ニューマンもジェファソンも思い切って、それぞれの買い物をしたのだろう。二人は、誰かに命じられるのではなく、自分たちの意のままにお金を使いたいと思ったに違いない。そして、仕事というものが自分たちの人生にとって全てだとは考えず、他にも大事なことがあるという思いからお金を使ったのだろう。

この二人と同様にヒルもまた、自分の土地を礎にして自分の目的を果たそうとしたに違いない。土地所有は、一九世紀から二〇世紀への世紀転換期の南部農村地域においては達成の印だった。ヒルは、土地を売って経済的な資金にすることができなかったから、土地所有に付随した規制条件を自分に有利なように使おうと決めたのだろう。土地とは、立派な家柄を伴えば、ヒルを社会的に重要な存在にしてくれる最高の物的財産になりえた。〔メアリによれば〕ヒルの母方の祖母は、アフリカの王女だったと伝えられており、ヒルの実母は、その立派な家柄意識を保とうと懸命に努力していたらしい。[18]ヒルは、それどころか、自分の家柄意識に一層磨きをかけて、名声と地位を得ようとした可能性もある。

ヒルは、自分自身を立派な女性であると示すために、独特の存在に見えるように周りの人びとに、それが黒人だろうと白人だろうと、気づかせるようにしむけたようだ。メアリは、ヒルの身のこなし方とその威力について、ヒルは「背が高く、寡黙で、胸を張りまっすぐな姿勢」だったと回想している。ヒルの家系については、「その気高い生い立ちを否定することなど許さない」立派な家系だったと明記している。[19]こうして、メアリがヒルを例外的なアフリカ系アメリカ人だと見なしたことからも、ヒルのやり方が見事に功を奏していたことが窺える。メアリは、ヒルについて書いた回想録の題を「立派で高貴な人生行路」と名付けた。おそらくメアリは、ヒルの周到な振る舞いに感動さえしていたように思われる。[20]

ヒルは、アフリカ系アメリカ人としての自分自身をとりわけ服装で際立たせた。なかでも強烈な印象を与える事例を挙げるなら、それは、ヒル自身が会衆でもあったプロヴィデンス・バプティスト教会の会衆とのやりとりに見ることができよう。メアリは、自分が子供のときにヒルが日常生活で見せた些細なことを嬉しそうに回想し、日曜日の午前中の礼拝にヒルが贅沢で人目を惹く服装で出かけたことを明記している。丈の長いスカートの絹のドレスを着て黒い手袋をはいて、「紫色の浮き模様を織り出した絹のバッグ」をもって、ヒルが自分の出で立ちに注意深く目を配っていたことを、メアリは憶えていた。〔まだ子どもだったころの〕メアリの眼に映るヒルは、悠々と思うままに振る舞い、自分の衣装を見せびらかそうとして、教会には決まって遅れて到着したという。その到着時刻は注意深く計算されたもので、ヒルは満員の教会に見事な入場を果たすことになる。その儀式的とも言える入場のありさまは人目を惹き、しばしば話題となるほどだった。ヒルを訪ねてくる来客からその話を聞いて育ったメアリは、その場面について、「教会の会衆のなかには、シルヴィアはわざと遅く来るのよ、と言っている人たちもいました」と述べている。礼拝堂の狭い通路をヒルがどんなふうに歩いたか、前方の席に来ると、わざとらしく「金色のフレームの眼鏡をかけて」、その効果を見極めるべく振り向いて「正面の入り口にかけてある時計を見たわね」と来客たちは話していたという(21)。

プロヴィデンス・バプティスト教会の墓地には、ヒルが自立した人生を送ったことを示す墓石が立つ。それには次のように刻まれている〔これはメアリが回想録の最後に記した文言でもある〕。

ミセス・シルヴィア・ヒルに捧ぐ。
善良で忠実な僕《しもべ》よ、
主の喜びの許に至れ(22)。

〔誰がこの碑文を書いたかは定かではないが、〕「ミセス」という敬称にも、ヒルの生きた姿勢が反映されている。ジムクロウ体制下の南部社会では、素振りや作法が社会的地位を示す印になったことは確かだ。ただ、黒人と白人が同じ敬称で呼ばれることはなかった。白人たちはアフリカ系アメリカ人をミスターやミセスではなく、おばさん《アーント》、おじさん《アンクル》と呼んでいた。[23]

こうした〔ジムクロウ体制下の人種によって異なる〕さまざまな差異を念頭においてヒルの遺言書やメアリの書き残した回想録を読むと、それぞれの意味と重みが見えてくる。そこにはヒルの人生の豊かな意味合いも捉えられる一方で、ヒルが自分の人生を生きようとした困難な状況も窺える。ヒルは自分自身を、グワスミー一家のどの女性と比較しても同等の高い道徳心と資質の持ち主だと見なしていたはずだ。ただ、そうした面が強くなりすぎると、ヒルが人生のどの時期にも注意深く紡ぎ出そうとした〔グワスミー一家との〕信頼関係が危うくなっただろう。そういう微妙な状況下に置かれたヒルは、グワスミー一家の人びとにその真意を気づかれないように巧みに人生を切り拓いていったのではなかろうか。

とはいえ、ヒルの巧みな生き方は、近隣の黒人住民が集って礼拝していたプロヴィデンス・バプティスト教会では非常に異なる様相を呈していた。ヒルは、礼拝者たちの集う場で別人のごとく自己主張する素振りで注目を浴びていたのだから。

第二部　モノ（史跡・写真）から広がる日常世界

奴隷所有者ベネハンの家（ノースキャロライナ州ダーラム郡のスタッグヴィル史跡）

ヴェラ・セセルスキ（樋口映美訳）

〔私たち（訳者とそのゼミ生）は、スタッグヴィル史跡を訪れた。それは、創始者リチャード・ベネハン家の娘レベッカがキャメロン家に嫁ぎ、その息子ポール・キャメロンが一八四七年にベネハン家の全財産をも相続した時点で、ノースキャロライナ州で最大規模になった農場である。この史跡の主任ヴェラ・セセルスキがまずベネハンの家を案内してくれた。〕

今からお話しするのは、現在ノースキャロライナ州の管理下にあるスタッグヴィル奴隷制農場史跡（図1）が、かつては奴隷とされた人びとの世界と所有者の世界とが共存する空間であったことを、訪れた人びとに示そうとする新しい試みです。

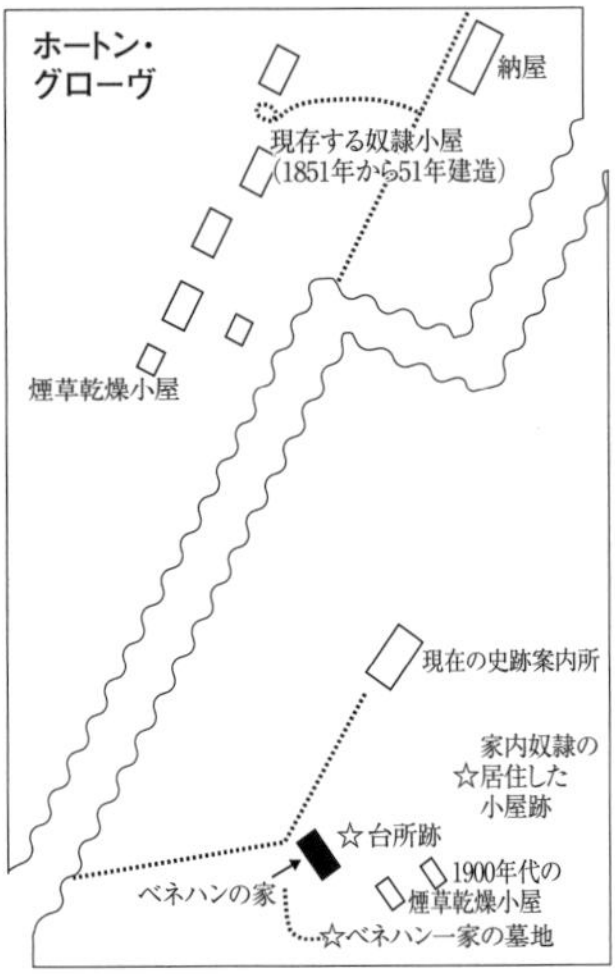

図1　スタッグヴィル史跡の見取り図
奴隷居住区画「ホートン・グローヴ」（左上）、ベネハンの家のある区画（右下）（著者提供の図を若干修正、訳者）

この家〔の左手奥の部分〕は、〔ダーラム市から北東部にある〕この地で最初の奴隷制農場《プランテーション》を拓いたベネハン一家が初めて住んだ家です〔手前の大きな煙突のある一階と二階部分は後に増築された部分〕（次のページ、写真1）。農場は、一七八七年から一七九九年にかけて少しずつ拡大して複合的な農場となり、やがてスタッグヴィルという

奴隷所有者ベネハンの家（ノースキャロライナ州ダーラム郡のスタッグヴィル史跡）

写真1　ベネハンの家（The Bennehan House）
（撮影：by Emily Baxter, Stagville State Historic Site, NC Department of Natural and Cultural Resources.）

名で知られるようになります。この家は、その農場の中心的存在であり続けました。[1] 一八六〇年になると、スタッグヴィルはすでにノースキャロライナ州で最大の複合的な大型農場の一つになっていました。一七八七年から一八六五年にかけてベネハン一家とその子孫たち〔一八四七年以降はキャメロン家〕は、アフリカ人やアフリカ系アメリカ人を何百人も奴隷として所有していたわけです。この家が白人ベネハン一家〔あるいはキャメロン一家〕のいうところの富と美意識の象徴とされてきたのは確かです。同時に、この家の部屋という部屋は全て、奴隷とされた人びとにとっては労働する場であったことも確かなのです。

さてこの手狭な部屋は、農場での最初の事務室の一つでした（次のページ、写真2）。ここは、一見して小さくて何でもない部屋のように見えるかもしれませんが、実はスタッグヴィル農場の長い歴史のなかで大きな権力が発生する部屋だったのです。この農場に住んだ最初の世代の人たちにとって、この部屋は、この農場全体の制御室、つまり、スタッグヴィル農場で働く奴隷とされた一人一人の生活と仕事を御する部屋でした。この部屋で取引が結ばれ、この部屋で作成された報告書が発送され、この部屋で土地購入の決定がなされました。

今、この小さな部屋の中を見ていると、奴隷とされた個人や家族の売買の手続きがおそらくここで実際に行なわれたであろう情景も脳裏に浮かんできます。この家のなかで奴隷として働いていた人びとは、白人たちがここで取引の話をしているあいだ、自分の名前が呼ばれるのを隅で待っていたかもしれません。その人びとは、次の命令が下されるまで黙ってじっと待っていたことでしょう。そういうとき、この部屋は不安の充満する場所でもあったはずです。というのも、そこで白人たちが取り交わす話や契約によっては、自分たち奴隷とされた人びとの家族や人間関係や生存さえもが大きく左右されたからです。この部屋で奴隷として客に茶を出していた人が、自分たちの人生に大きな変化が起きそうだということを偶然にも耳にしたかもしれません。その人には、その瞬間にも、黙っていること、自身の感情を抑えることが求められていたに違いありません。

写真2　手狭な事務室
所狭しと置かれた書棚付き机（撮影：2018年2月28日、訳者）

一方、ベネハン一家とその子孫たちは、自分たちが奴隷とされている人びとを助ける慈善活動をしている、もしくは、人びとの世話をしているのだ、と見なすことによって、奴隷制を正当化しようとしました。[2] その正当化を背後から支えていたのは、アフリカ系の人びととその子孫は子供のようなものだから、自立した生活能力をもたず、白人権威者による支配が及ばないところでは生活できないという人種差別的な考

奴隷所有者ベネハンの家(ノースキャロライナ州ダーラム郡のスタッグヴィル史跡)

え方でした。このように、奴隷所有者たちは自分たちとその行為こそが正義だと考えていたので、その自己像は、非常に確信に満ちたものでした。そのうえ、スタッグヴィル農場の奴隷所有者たちは、奴隷とされている人びとが実際に受けている抑圧と搾取を、当然のことながら人びとはありがたがっているんだ、と信じていたのです。例えば、ほんの一例ですが、奴隷とされているメアリ・ウォーカーという人が解放を望んで逃亡しようとしたとき、スタッグヴィル農場の奴隷所有者は、メアリを「恩知らずだ」と決めつけました。[3] このように、奴隷とされた人が所有者の予期に反する不安や悲しみや怒りや抵抗を示すと、奴隷所有者たちは、それに対して感情的で常軌を逸した反応を示したのです。

ですから、ベネハン一家の者がいるときに、奴隷とされた人がこの事務室で泣いたり抗議したり怒りを示したなら、おそらく危険に身をさらすことになったでしょう。ここで働くということは、奴隷とされた人が自分たち自身や愛する者たちを守ろうとする限り、ベネハン一家の者の前では自分たちの本当の感情を押し殺さなければならないということだったのです。

この事務室とその隣の食堂(次のページ、写真3)は、奴隷とされている人びとにとって、情報の行き交う重要な空間にもなりました。ベネハン家の富がものを言って、一家と他の奴隷所有者層の人びととのあいだに親密な関係が築かれていきました。やがて、奴隷所有者層の人びとは、商人や聖職者や州最高裁の裁判官や政治家や弁護士といったその地域の実力者たちともつながりをもつようになりました。[4] ベネハン一家も、この実力者たちと親密な関係を結び、一家の食堂で一緒に食事をしたり事務室で会合したりするようになりました。奴隷とされていた人びとは、〔外の台所で〕食事を用意してその食堂の食卓に料理を運びましたし、事務室には〔運ぶように命じられた〕本や新聞を運びました。奴隷とされたその同じ人びとが、食堂や事務室で働いているうちに、そこで交わされた会話や話題になった通信文の話から自分たちにとって重要な情報を得たことでしょう。スタッグヴィル農場の奴隷所有者は、何世代にもわたって首都ワシントンやニューオーリンズといったアメリカの主要都市をはじめ、ヨーロッパからも新聞を取り寄せていたのです。そういう家の中で奴隷として働く人は、地元のニュースや全国的なニュース、例えばアメリカ合衆国において奴隷制廃止論者の運動が高まっているというニュースや、近くの農場から自由を求めて逃亡した人が地元の追跡者の手で捕まったというニュースを事務室や食堂でいくつか耳にしたかもしれません。奴隷とされていた人は、その場で黙って働いているうちに、一五人の人たちが買われて、来週あたり近隣に到着するという知らせを耳にしたことでしょう。あるいは、ミスター・ベネハンが隣の郡の土地を買ったというニュースを耳にしたかもしれません。そのニュースは、自分たちの仲間の何人かがその新しい土地で働くために自分たちからの別離を強いられて遠くに送り込まれるということを意味しました。

写真3　食堂（撮影：2018年2月28日、訳者）

実のところ、ベネハンの家で奴隷として働く人が何千エイカーもの広大な地域の情報伝達を担っていたとも考えられます。この家で奴隷として所有者とその家族の世話を

奴隷所有者ベネハンの家（ノースキャロライナ州ダーラム郡のスタッグヴィル史跡）

していた人が、家の裏手にあった台所の小屋で奴隷として働いていた料理人に情報を伝えることは可能でした。その料理人は、料理の材料を受け取りますが、その材料は奴隷とされていた御者が配達しました。その御者は、スタッグヴィル農場のあちこちに散らばる農場全域に物資を運んでいました。その物資は、それぞれの納屋や倉庫で奴隷として働いていた担ぎ屋たちが荷降ろししたり積み込んだりしていた物です。その担ぎ屋たちは、スタッグヴィルの多くの農場や工場や店から物資を運んで来ていました。[5] ですので、ベネハンの家の中で奴隷として働いていた一人の人物がもたらしたニュースが、何千エイカーもの土地を巡って、何百人もの人びとの耳に届いていた可能性があります。しかも、おそらくベネハン一家の人たちは、そのニュースが奴隷とされていた人びとによって自分たちの家の外に広く伝えられていることなど想像すらしなかったことでしょう。

ベネハンの家で奴隷として働いていた人のなかには、ヴァージルという名の男をはじめとして読み書きのできる人もいくらかいました。[6] ノースキャロライナ州では奴隷とされている人に読み書きを教えることが一八三一年になるとすでに州法によって禁止されていました。[7] ところが、ベネハン一家の人びとは、奴隷とされている人びとのなかから自分たちで選んだ特定の人びとが読み書きを身に付けることを認めていました。それはおそらく、ヴァージルのような男が農場の業務について報告するときには読み書きができれば便利で役に立ったからでしょう。奴隷としてベネハンの家の内外で働いていた人びとは、奴隷として〔畑仕事など〕野外で働く人びととは違って、新聞や用紙やインクやペンや本を手に取ることができました。公式には読み書きを許されてはいなかった人びとも、この家の中では読み書きをこっそり身に付けたかもしれません。読み書きがどのような公的場面で許されたかは、ベネハン一家の残した文書からわかります。

ただ、その一方で、その読み書きができた人たちは、個人的なことでもこっそり読み書き能力を発揮していたに違いありません。ベネハン一家の家から農場へ、店へと口頭で情報を流した秘密の連絡網が、文字で書かれた情報を伝えるために使われた可能性もあります。

ベネハン一家の人たちが、白人優越の考え方によってアフリカ系の人びととその子孫の知的能力を無いものとして片づけた一方で、奴隷とされていた人びとは、自分たち仲間内だけでやり取りすることによって、その能力が無いものとされたこと自体を逆にうまく利用して〔情報に接して〕いたかもしれません。ベネハン家の人びとは、自分たちの生活空間で奴隷として生活している人びとが、その人びと自身のために情報を理解し拡散していたことに全く気付いていなかったかもしれないのです。

この二つの小さな部屋は、もつれた人間関係と権力の力学が複雑に絡み合う空間であったわけです。奴隷とされていた人びとの感情と個々の人間性は、この家の中で抑圧され否定されていました。しかし、奴隷とされていたその人びとは、情報を集めることや相互の情報伝播や抵抗によって日々人間として生きていたわけです。こういう一見して単純に見える空間で、奴隷とされていた人びとは、自らが人間であることをおりおり繰り返し発揮していたに違いありません。

〔そう話した後で、ヴェラ・セセルスキは、奴隷として野外で働く人びとが住んでいた奴隷小屋のある「ホートン・グローヴ」と呼ばれている区画（図1参照）のほうに案内してくれた。それはベネハンの家からは見えず、少し離れた場所にあった。〕

ストリートで働く新聞売りの子どもたち

――二〇世紀前半のメキシコ・シティの貧困のなかを生きる

青木利夫

路上で新聞を売る子どもたち
図３（1925-1930年）左、図2（1925-1930年）中、図１（1910年頃）右

「エル・デモクラタ、エル・デモクラタ」
「エル・ウニベルサル、エル・ウニベルサル」[1]

大勢の人びとが行き交う大都会メキシコ・シティの街角では、毎日、早朝から大きな声が響き渡る。新聞を売る子どもたちの新聞名を叫ぶ声である。一九世紀後半から二〇世紀にかけて、メキシコ・シティでは日刊紙の創刊が相次ぎ、それにともなって、毎朝、街頭で新聞を売る人びとが増加した[2]。これらの人びとは、新聞の名前のほかにも、通行人の気を引くために新聞に掲載されているスキャンダラスな記事の内容をやや誇張して叫んだ。ボセアドール[3]と呼ばれたこの新聞販売人の多くは、子どもを含む青少年だったのである。

一九二三年、メキシコ・シティでは、新聞販売人によるはじめての組合である「連邦区出版物販売員組合」[4]が結成されるが、加入した約二〇〇〇人の販売人のうち子どもは五〇〇人であったという[5]。正確な人数は不明であるが、新聞販売人の九〇%が一八歳未満であり、年少のものは七歳くらいから朝に晩にと新聞を売り歩いていたようだ。(6) つまり、新聞各社は、毎日の売り上げの多くを多数の子どもたちの労働力に頼っていたということになる。

新聞各紙の創刊が広がった一九世紀後半のメキシコでは、一八七〇年代に独裁政権が確立し、その後の近代化政策によって「経済成長」がもたらされる一方で、工業化、都市化にともなうさまざまな社会問題があらわれるようになる。とりわけ首都メキシコ・シティでは、急激な人口増加にともなって、貧困、犯罪、物乞い、アルコール依存、売買春、衛生環境の悪化、伝染病の蔓延などの諸問題が拡大し、それが国家の衰退を招く要因として支配層に認識されるようになった。そして、こうした社会問題は、おとなだけではなく、「将来の市民」となるべき子どもたちとも深くかかわる問題として注目されるようなった。とりわけ、路上で暮らし町を徘徊する貧しい子どもたちは、物乞いや非行によって町の治安を脅かし、また伝染病を媒介する存在として問題視され、欧米諸国を追いかけて近代国家の建設を目指すメキシコの「文明化」を阻害する危険な要素とみなされた。

図4　新聞社の前に集まる大勢の新聞売り（1935年頃）

通りを徘徊する子どもたちといっても、親を失った孤児や家のない家庭の子どもたちばかりではなかった。貧しいながらも住む家や家族があって家に帰ることもあれば、路上で寝泊

図5　新聞販売員組合の旗のもとに立つ新聞売り（1925 年頃）

まりする子どももいる。また、通りを徘徊する子どもたちのすべてが物乞いや非行を働いていたわけではなく、靴磨き、荷物運び、マッチ売り、お菓子売り、新聞売りなどさまざまな労働によってわずかな収入を得てみずからの糊口をしのぎ、あるいは貧しい家族の生計を助けている子どもも多かった。とりわけ新聞売りは、靴磨きとともに、子どもたちが従事することの多い「職業」であった。すなわち、路上で新聞を売る子どもたちは、物乞いでもなければ非行少年でもなく、おとなとともに働く立派な「商売人」であり「労働者」だったのである。

とはいえ、この時代のメキシコでは、ボセアドールたちは、町を徘徊するための隠れ蓑として新聞を売り歩いている「耐えがたい害虫」としてみなされることも少なくなかった。[7] 一九世紀なかばには、浮浪を矯正するための法律が制定されており、町を徘徊することは犯罪行為とみなされた。それゆえ、新聞販売をはじめ路上での物売りにかんしては、いろいろな規制がかけられた。たとえ

図6　El Demócrata 紙の事務所の前に並ぶ新聞売り（1922 年頃）

ば、新聞を売る際には新聞紙名を叫ぶことのみが許され、記事となっているスキャンダラスな内容を叫ぶことが禁止された。さらに、新聞を売るための許可証を当局から発行してもらい、それを携帯することが義務づけられた。また、一九一〇年の革命前後の政治的に難しい状況のなかで、政府を批判する内容の新聞が当局ににらまれることもあった。新聞を売る子どもたちは、当局に監視されることも多く、許可証の不携帯など規則に違反した場合には警察に拘束されることもあったのである。

しかし、こうした当局の規制にもかかわらず、新聞売りの子どもたちは、毎朝夜が明ける前に束になった新聞を仕入れ、それをもって仕事に出かけていった。新聞を抱えた

図7　新聞をもって走る新聞売りの少年（1911-1913 年）

図8　許可書を片手に、靴と服の贈呈の順番をまつ新聞売り（1928 年頃）

図9　大通りで新聞を売る子どもたち（1928 年頃）

図 11　新聞を売る子ども
（1935-1940 年）

図 10　路上に新聞を並べる新聞売り
（1920-1925 年）

図 12　銀行が入る建物の前に立つ新聞売り
（1925 年頃）

ボセアドールたちは、まず、商品を売る場所を確保しなければならない。人通りが多い街角や公園、車の往来がある大通りなどは格好の売り場であり、ひいきにしてくれる常連客をもつ売り子はいつもの場所で客を待つことになる。

こうして子どもたちは、仕入れた新聞を売り切るまで、あるいは夕刊を売る場合には夜まで働いた。ある調査によると、ボセアドールのなかには一四時間も働く子どももいたが、その収入は労働時間には見合わないものだという(8)。しかし、たとえわずかな収入であっても、貧しい生活を余儀なくされる家庭にとってそれは貴重な現金収入となったであろう。また、身寄りのない子どもにとっては、この仕事が生存のための数少ない手段の一つであっただろう。また、そうした厳しい状況のなかでおとなとともに働くことは、社会のなかで仕事を覚えて「ひとりだち」していくことにもなる。さらに、同じ境遇にある子どもたちどうしは、お

図13　新聞を抱えて仕事に向かう子どもたち（1920年頃）

図14　仲間と食事をする新聞売り（1920年頃）

図15　路上で眠る新聞売りの子どもたち（1930年頃）

図16　路上で遊ぶ新聞売り（1930-1935年）

互いが同じ新聞を売る競争相手である一方で、路上でともに時間を過ごす仲間でもあった。ともに働き、ともに食事をし、仕事が終わればともに遊び、帰る家のないものはともに眠ったのである。

新聞売りや靴磨きなどをしながら路上で長時間過ごす子どもたちは、ともに働く仲間がいるとはいえ、その生活は非常に厳しく、家があり家族がいる子どもであっても状況はさほどかわらないであろう。そのため、出版物販売員組合は、子どもの販売員に一定の配慮をしていた。情報の流通手段が限られていた時代、新聞や雑誌の流通を末端で担う新聞販売員は、情報を伝達する媒介者として非常に重要な地位を占めていた。一九二三年に組合が組織されて以降、メキシコ・シティにおける新聞・雑誌の流通は、この組合をとおしておこなわれるようになる。その結果、組合は、新聞や雑誌をつうじて意見を述べようとする知識人や、言論統制をもくろむ為政者にとって無視できない重要な組織となった。すなわち、革命の混乱がまだ色濃く残る時代に組織された組合に属する新聞販売員は、情報の媒介者として言論の自由あるいは統制に深く関与していたといえる。政治にも影響をおよぼすほどの大きな勢力となった出版物販売員組合は、その一員である新聞売りの子どもたちにたいして、ボーナスや衣服を支給するなどの支援の手をさしのべたのである。

図17　組合長からボーナスを受け取る新聞売りの子どもたち（1925年頃）

図18「新聞売りの日」に組合長から贈り物をもらう新聞売りの子どもたち（1922年頃）

一方、売り上げの多くを毎日の子どもたちの労働に頼っていた新聞各社もまた、ボセアドールとして働く子どもたちのために、宿泊施設を提供し、そこで食事や衣服など生活必需品に加えて、基礎的な教育までも与えていた。たとえば、一八九四年には、複数の新聞社および雑誌出版社が、新聞売りの子どもたちのための宿泊所を、また、一九二四年には、「新聞販売員の家（Casa del Papelero）」を開設した。[9] 後

図 19　「新聞販売員の家」（1935-1940 年）

図 20　授業を受ける新聞売りの子どもたち（1951 年）

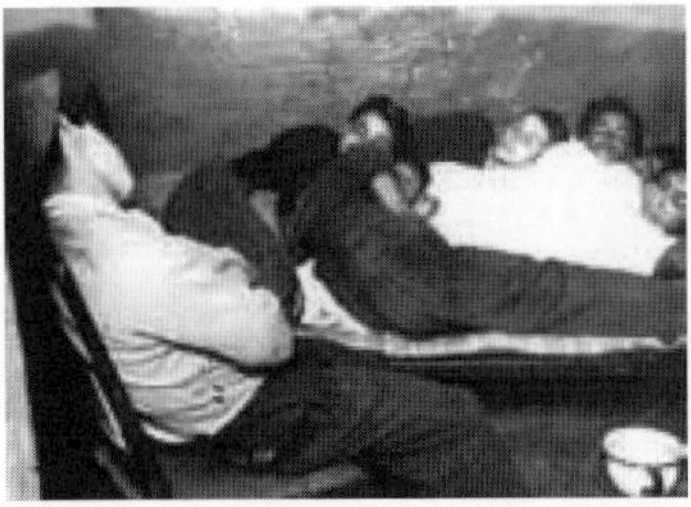

図 21　「新聞販売員の家」で眠る少年たち（1940 年）

者の施設においては、公教育省の支援のもとで、新聞売りや靴磨きをしている子どもたちに授業がおこなわれていたのである。

組合や新聞社によるこうした取り組みは、とりわけ路上で暮らさざるをえない子どもたちにたいする支援事業あるいは福祉事業としての意味をもつかもしれない。しかし同時に、組合にとっては組合の勢力を維持、拡大するための要員として、新聞社にとっては利益を生み出すための安価な労働力として、貧しい子どもたちの存在は不可欠であり、子どもたちへの支援は組合や出版社のためでもある。すなわち、組合も新聞社もいずれもが、みずからの利益を求めて貧しい子どもたちを利用する、あるいは搾取するために支援をしているに過ぎないともいえる。新聞売りの子どもたちを支援する組合や新聞各社の取り組みは、はたして「慈善」なのかそれもと「偽善」なのであろうか。

一方、子どもたちにとっては、こうした取り組みが「慈善」であろうが「偽善」あろうが、新聞販売という仕事をつうじて生活費を稼ぎ、組合や新聞社から生活や教育の支援を得ることは、自分自身のみならず家族が生き残るために必要な一つの手段であったはずである。ストリートで働く新聞売りの子どもたちは、組合や新聞社に関係するおとなたちを利用しながら、また、ともに働く同業の新聞販売員、さらにはさまざまな仕事をしながらストリートで暮らす多くの仲間たちと関係を取り結びながらしたたかに生きていたのである。

マックスウェル・ストリートの音風景

——戦間期シカゴの路上マーケットをそぞろ歩けば

髙橋和雅

出典：Monty La Montaine, "[Street Scene on Maxwell Street,]" c1930-1950, Photograph, Folder#1, Photographs of Maxwell Street, Research Center, Chicago History Museum.（以下、Montaine の写真コレクション名と文書館名を併せて PMS と略記。）

出典：Monty La Montaine, "[Street Scene in Near West Side Area,]" c1930-1950, Photograph, Folder#1, PMS.

路地裏からマックスウェル・ストリートへ

アメリカ有数の大都市シカゴも、一九三〇年代には目下不況の只中にあった。シカゴ川以西、都心部からいささか離れたニアウエストサイド地域の路地裏は静かだ。一九二九年に巻き起こった大恐慌の影響は色濃く、道端には、失業者と思しき人びとが行き倒れたかのように横たわっている。

しかし、そんななか、あるストリートに近づくにつれて、さざめきのような遠鳴りが聞こえ始める。そしてその場所、すなわちマックスウェル・ストリートに足を踏み入れると、途端、そこには音と賑わいに満ちた世界が立ち現れる。

路上マーケットの喧騒

マックスウェル・ストリートは、ニアウエストサイド地域を東西に走る、全長二キロほどのストリートだ。そして、その大半をシカゴ市公認の「路上マーケット」が占めていることで知られる。歩道にはホットドッグや衣料品のスタンドが立ち並び、路上には果物や生魚を売る荷車がひしめく。露店のまわりを行き交う人は様々だ。もともと一九世紀末にこの場所で売買を始めたユダヤ系移民たちや、一九二〇年代半ば以降にこのストリート付近に集住するようになった黒人たち、さらには隣接して住むイタリア系、ポーランド系の移民たちや、評判を聞きつけて訪れる観光客らが、日々入り混じるようにしてこのストリートに出入りしている。

そして、その出入りゆえに、マックスウェル・ストリートは常に雑多な人びとの「喧騒」に満ち溢れている。実際、この場所を取材した新聞記者たちは、雑然と賑わうストリートの印象を次のように語る。

〔午前〕九時かその辺りには、嵐〔のような群集〕が押し寄せ始める。街じゅうから買い物客がやってくるのだ(1)。

もし、買い物に訪れる雑多な人びとを見てみたいなら、マックスウェル・ストリートには日曜にくり出すのが最適だろう。ただし、車で通りぬけようなんて思わない方が良い。〔混み合い過ぎて〕通れやしないから。

このストリートは、コスモポリタンな群衆が行き交う場所となっている。〔……〕店を構えるユダヤ

出　典：Nathan Lerner, "[Street Scene on Maxwell Street,]" 1937, Photograph, Folder#1, Box#1, Maxwell Street Photographs by Nathan Lerner, Research Center, Chicago History Museum.（以下、Lernerの写真コレクションと文書館名を併せてMSPNLと略記。）

系だけではなく、メキシコ系、ロシア系、黒人、ポーランド系、リトアニア系、そして他の人種集団が頻繁にマックスウェル・ストリートを訪れることで、この著名な路上マーケットに独自の国際色を与えている。(2)

雑多な人びとがひしめくなかで、多様な言語、多彩な話題の入り混じるざわめきが生まれる。そこにはマックスウェル・ストリート特有の「喧騒」がある。

物売りたちの声

喧騒のなかに身を置けば、まず聞こえてくるのは物売りたちの口上だ。路上には、常設スタンドを構える商人や荷車を引く行商人、果ては地面にボロきれやジャンク品を広げる「ガラクタ売り」まで、様々なかたちの物売りがいる。彼らは続々と行き過ぎる通行人を前に、それぞれのやり方で、客の呼び込みに精を出す。

見て、見て、この特売を見て。純毛製のユニオンスーツ、アメリカでこれより良い品はないよ。それがたったの五七セントだ。(3)

お客様、私たちはそこで靴と洋服を売っております。ええ、全品特売中です。ほら、外套がここに。すぐ冬がきますしね。ボタンをのぞいて純毛製。いまなら一五ドルで、いえ一四ドル五〇セントでお売りしますよ。(4)

このような積極的な呼び込みに加えて、なかには独特の節回しの「呼び売り」で客の関心を引く行商人もいる。

おじょーうさん、おじょーうさん。この美しい絨毯を、たったの一ドル九八セントでお求めに！(5)

出典：Monty La Montaine, "[Street Scene on Maxwell Street,]" c1930-1950, Photograph, Folder#1, PMS.

物売りたちは、ときにスタンドのなかから、ときに荷車と同じ高さのお立ち台から、声を張り上げ、工夫を凝らし、懸命に客を呼び止めようとする。やむことのないそれらの口上は、たえず重なり、マックスウェル・ストリートを彩る。

値引き交渉

露店の周りでは、買い物客の「値切り」の声も盛んに響く。安売り、まとめ売りの「特売」が基本のこの路上マーケットで、さらなる値引きを引き出そうと躍起になるのだ。その様は、次のように語られる。

彼らは買い物客やバイヤーであり、そのうえ値切り屋でもある。互いを押し退け、並べられた品をひっくり返し、より盛大な値引きを求めて動きまわる。(6)

出典：Monty La Montaine, "[Street Scene on Maxwell Street,]" c1930-1950, Photograph, Folder#1, PMS.

ある者はものすごい勢いで、ある者は慎重に用心深く、またある者は口論と議論を果てしなくくり広げながら、買い物をする。多くの場合は英語で、しかし時にはほとんどの商人の実質的な母語であるイディッシュ語で、白熱した話し合いがくり広げられる。(7)

なかには、家計が苦しく、少しでも安価に生活必需品を揃えるために、必死に値引きを願い出る人たちもいる。他では体験できない「特売」での交渉を楽しむ物見遊山の観光客もいる。交渉に応える物売りたちの言葉もあいまって、値引きをめぐる声の応酬は、熱気を帯びたものになっていく。

香ばしい音、かぐわしい音

売り買いの声が響く傍ら、そこらじゅうの食べ物スタンドからは、何かを煮たり焼いたりする音が鳴り響く。たとえば、ポーランド系やドイツ系由来のソーセージを用いたホットドッグなどは、このストリートの名物の一つだ。ある記者は、その人気ぶりをこう語る。

> 買い物客が行き来し始めると、ホットドッグやハンバーガーのスタンドは大忙しだ。濃厚に漂うタマネギの香りをめがけて、客たちはスタンドに駆け込んでくる。店主は肉を叩いて焼いて、際限なく調理を続ける。ストリートの埃もおそらくは混ざり込んでいるだろうが、誰もそんなことは気にしない。だいたいのことは、マスタードが誤魔化してくれるだろう。(8)

出典：Monty La Montaine, “[Street Scene on Maxwell Street,]” c1930-1950, Photograph, Folder#1, PMS.

道行く人びとは、肉の焼き上がる香ばしい音と匂いに誘われて、続々と食べ物スタンドを訪れる。そうして購入した軽食を片手に、またストリートへと戻っていくのだ。

ネズミたちの大行進

食べ物の匂いに引き寄せられるのは、何も人間だけではない。歩道脇に目をやれば、多くのネズミたちまでもが、このストリートに出入りしていることが知れる。駆けまわるネズミの騒々しさは、付近の住民や店舗主を困らせるには十分なものだ。

〔路上マーケットに面する〕うちの建物の地下には、相当な数のネズミが入り込んでいたんですよ。〔……〕這いずりまわるこのネズミたちを退治するために、私たちは駆除業者を頼らねばなりませんでした。建物を封鎖したうえで、ガスを送り込んで、四八時間も放置しなければならなかったんです。(9)

こうした苦情も珍しくない。

マックスウェル・ストリート沿いの建築物には、たいてい道より少し低い半地下階がある。一八八〇年代に道路が整備され、路面の高さがかさ増しされたのに対して、それ以前からそこに建てられており、改装工事もなされなかった古い木造住宅が多いのである。歩道に食品スタンドを構える商人たちは、これ幸

出典：“[The Newberry Avenue Center,]” 1935, Photograph, Newberry Avenue Center Photograph Collection, Research Center, Chicago History Museum.

いと、その半地下階を手近な食糧保管庫とした。するとその場所は、ネズミたちにとって、快適で安息な住みかとなった。半地下階と歩道の間を、わが物顔で駆けまわるネズミの鳴き声は、ストリートの騒がしさに一役買っていると言えなくもない。

出典：Nathan Lerner, “[Street Scene on Maxwell Street,]” 1936, Photograph, Folder#3, Box#1, MSPNL.

路上のメロディ

実際のところ、マックスウェル・ストリートは騒がしい。大道芸が盛んなこのストリートでは、何かの楽器をかき鳴らす音、打ち鳴らす音がいつもどこからか聞こえてくる。たとえば見世物はこんな具合だ。

> ジプシーの子供四人組のダンサーチームが、にわかに路上マーケットをにぎわせている。〔……〕一人の少年が使い古した銀の盆をドラム代わりに叩くのにあわせて、ダンサー役の少年少女が世俗的なダンスを激しく踊る。(10)

路上マーケットの大道芸人やミュージシャンは、奏でられるものなら何でも奏でる。笛のかわりに空き瓶を吹き、太鼓がわりにタライを叩く。洗濯板をかき鳴らし、地面を踏んでリズムを鳴らす。演者にとって、それらはすべて、日銭を稼ぎだすための音色だ。集う聴衆にとっては、日々の生活に楽しみを見出すための音色だ。

マックスウェル・ストリートの音風景

多くの人びとが行き交うマックスウェル・ストリートで、商人は歌うようにして客を呼び込み、呼ばれた客は次から次へと品物を値切る。肉の焼き上がる音が響く一方、ネズミの鳴き声もそこかしこから響き渡る。大道芸人は打楽器がわりの日用品を打ち鳴らし、人びとはそれに応えて足を踏み鳴らす。すべての音は、混ざり合い、響き合い、このストリートの音風景となる。

マックスウェル・ストリートをそぞろ歩けば、不況にあっても、毎日を生きる人びとの「生」が聴こえてくる。

第三部　事件・出来事に見える日常世界

わずかばかりの自由

——マリア・リーの生活（一八四〇年代のミシシッピ州で）

ヘザー・アンドレア・ウィリアムズ（樋口映美訳）

一八四九年一二月三日、月曜日、マリア・リーは、ミシシッピ州ハインズ郡の法廷に殺人事件の証人として立っていた。その裁判は、奴隷とされていたイズラエルという男と共謀したジョンが、ウィリアム・マイルズとその家族と客の食事にヒ素とリンを混ぜて入れたことで、幼児一人を含む二人を死亡せしめたという訴えから始まっていた。[1]検察側は、毒を所持していたとされるジョンについてマリア・リーが何か知っているだろうと思ったのである。マリア・リーの証言から見える事件そのものも興味深いが、ここでは、農家や大規模農場ではなく、ミシシッピ州の都会ジャクソンに奴隷として夫と共に住んでいたマリア・リーの日常について考えてみたい。この裁判での短い証言がマリア・リーという女性の唯一の公的記録であり、他には何も残っていないだろう。それでも、その短い記録からリーという女性について少しでも知ることによって、奴隷とされた女性のなかには、その奴隷所有者から自立して生活していた者もいたであろうことや、そういう生活が黒人たちにとっては極めて自由でいられる生活であって、それを白人上流層がどんな思いで見ていたかを知る手がかりになるだろう。[2]というのも、マリア・リーの証言には、大半が奴隷とされていた黒人たちを支配しようとする主流（白人）社会の姿ばかりか、少しでもその支配の隙間を見つけるかつくり出すかして、自由を実践し、行動範囲を広げ、自立への機会をひねり出そうとする黒人たちの姿が垣間見えてくるからだ。

一八四〇年代のアメリカ合衆国（以下、アメリカ）南部社会では、人が人でありながら財産として物同然に見なされ、奴隷とされるか否かは往々にして肌の色で決まった。そして、その南部社会の公的な文書では常に、当事者がどの人種であるか、肌の色が白人のそれではない人が法的にいかなる身分であるかが確認された。現に、この殺人事件の裁判の名称は、「ミシシッピ州対ジョン（奴隷）」という具合に（　）内に身分が記されており、州政府が「コーネリウス・ボイドに所有されている黒人男性ジョン」を告訴したと記述されている。そして裁判書記官は、マリア・リーの証言をまとめた裁判記録に、検察側がマリア・リーを証言台に呼んだ後に、「黒人女性マリア・リーは、自分がソーイヤ・ティプトゥに属すと証言した」と記している。このように、マリア・リーがミシシッピ州の黒人女性で奴隷であるということが明記された。マリア・リーが、大半の黒人と同様に誰かに所有されているという事実は、機会があるごとに明記されたのである。現に、検察官の質問に答えて、リーは、ソーイヤ・ティプトゥに所有されているとはっきり述べているではないか。こうして、マリア・リーが白人男性の所有物で、奴隷制度下の社会の最底辺に立つことが明白に示された(3)。

さらにその証言からは、これから検証するように、マリア・リー自身が奴隷制社会の支配構造の亀裂の上で生きていたことも窺える。

検察側がリーを証言台に呼んだのは、ロバート・フルトンという白人男性がリーも事件に関与していると述べていたからである。フルトンは、被告人ジョンが、ヒ素を「痒み」止めの薬として使うから買ってきてくれと自分に頼んだと証言した(4)。フルトンが言うには、ヒ素を買った後、ジョンに頼まれたように、それをマリア・リーの家に置いて来たという。ところがリーは、ヒ素を受け取っていないし、知らないと証言した。リーは、確かにロバート・フルトンのことは知っているが、それは、「フルトンがタバコを買いにリーの家に来たり」、ときおりフルトンが肉屋の車を引いて来ると、リーがその肉を買ったりすることもあるからだと証言した。リーは、ジョンのことも知っていたが、ロバート・フルトンから預かったものをジョンに渡したことなどないと明言している。そして、ジョンの弁護士に反対尋問されたリーは、自分が夫ハリーと共にジャクソンのグリーシー・ローという地区に通じる道路の小さな川のそばの家に住んでいると明かした。リーは、洗濯婦であった。現に、ジョンがジャクソンに住み始めて以来ずっとジョンの服を洗っていた。洗濯した衣類をリーがジョンのところに運ぶことも多かったが、ジョンが取りに来ることもあったという。リーは、マイルズ一家とその客人たちをジョンと共謀して殺そうとしたとして州当局に告発されているイズラエルのことも知っていた。イズラエルは、ジョンと一緒にリーの家に来たことが数度あったし、「ときには夜、説教の時間に独りで来ることもあった」と、リーは証言している。それにリーは、ジャクソンの通りでイズラエルとジョンを見かけたこともあったという。

一見して無味乾燥で細かなリーの証言から、ジャクソンでのリーの日常がことのほか見えてくる。リーは奴隷の身でありながら、自身の所有者に監視されることなく、自分で自分を借主に貸し出していた。一八四九年のミシシッピ州では、奴隷とされている者が自身を勝手に貸し出すことも、所有者がそれを認めることも、いずれも違法だった。奴隷所有者が自分の所有する奴隷を他人に貸し出すことは合法的であったが、奴隷とされている者が自身を貸し出すのは違法だったということだ。前者の場合、所有者が貸し出しの手続きを全て管理する。つまり、道具を貸し出すごとく所有者が、借り主と交渉して、貸し代金を収益として借り主から直接受け取っていた。奴隷が所有者と離れて住んでいるなら、所有者は、その収益の一部を生活費として奴隷に与えた。それは、奴隷とされている者が自身を貸し出すのとは異なる。自身を貸し出すやり方では、その貸し出し手続きの管理が所有者から奴隷とされている者に移行されることになる。つまり、奴隷とされている者が、仕事を捜し、借り主と代金について交渉し、その収益の一部を所有者に渡す。奴隷とされている人は自身を貸し出すことによって、わずかであれ自立を獲得し、いくらもらえるかを借り主と交渉し、所有者にいくら支払うかについては、あろうことか自身の所有者と交渉したのである。

奴隷を管理する権利を失うことは、多くの奴隷所有者や白人上流層にとって心配の種となり、そのような貸し出しは禁止されていた。一八二二年のミシシッピ州の奴隷法〔奴隷の行動などを規制する州法〕では、誰であれ、自分が「所有している奴隷や、借りている奴隷を、どこにでも自由に行かせることも、その奴隷に自身を貸し出させることも」違法であると定めていた。これに違反した者に科される罰は、被告が所有者か奴隷かで異なった。所有者には一〇〇ドル未満の罰金が科せられ、奴隷とされた人にはもっと深刻な罰が科せられた。裁判所には、奴隷とされている人を、「現金を得るために」売りに出すことが州法で認められていたからである。もちろん「売りに出す」とは、奴隷とされた人びとにとって、家族との永遠の別離になるなど、その人生を大きく壊すことにつながった。

奴隷による自身の貸し出しが禁じられたのは、ミシシッピ州に限ったことではない。南北戦争以前の南部社会ではどこにおいてもそうであった。ミシシッピが一八一七年に準州から州に昇格する前の時期、例えばノースキャロライナ州では、奴隷自身の貸し出しを所有者が認めるのを禁じる法律がすでに採択されていた。ノースキャロライナ州の州議会では、「奴隷が自身の時間を思うままにするのを許すことは大きな害をうむ」と危ぶまれていた。同州のチョーワン郡では、シルヴィア・ブーロック〔と呼ばれる奴隷〕の所有者が、ブーロックを「州法に反して自由身分の女性として家事労働に従事させた」として起訴されていた。ヴァージニア州のいくつかの郡では、「奴隷に自由身分の者として自由に行き来させ、自身を貸し出すことを許した」として所有者が処罰されていた。このように、ミシシッピ州では奴隷とされている人びとが「どこにでも行く」ことを、ノースキャロライナ州では奴隷とされている女性が「自由な身分の女性として家事労働すること」を、ヴァージニア州では奴隷とされている人びとが「自由な身分の人びととして往来すること」を、それぞれ好まなかった。というのも、そういう行為には、奴隷か否かの境界線をあいまいにする恐れがあったばかりか、それに加えて、白人たちが確立し維持しようと必死になった奴隷制、白人優位黒人劣位の秩序に依拠する奴隷制そのものを揺るがす可能性があったからである。(5)

そう考えると、マリア・リーの証言からは、リー自身がミシシッピ州ジャクソンでこうした法律や通念をかき乱していたことが見えてくる。少なくとも証言台に立つまで、リーがそのことで刑罰を受けることはなかった。リーには、小さな商いがあった。他人の衣類の洗濯を商いとする女性として一家族でも一個人でもなく、数名の人びとに自身を貸し出していた。これには、リーが自分で洗濯物を取りに行って洗濯して配達する相手との合意が必要であった。つまり、顧客をもつということを意味した。顧客は、ジャクソンでの洗濯代金に準じた金額を支払うと同意しなければならなかったであろう。リーは、顧客の不満にも対応しなければならなかったはずだし、賞賛を受けることもできたはずだ。そのうえ、証言によれば、リーと夫は自宅でタバコを売っていた。二人は、黒人や白人を相手に売り手とも買い手ともなっていたわけである。マリア・リーは、黒人男性ジョンの服を洗いつつ、おそらく白人たちの服も洗っていただろうし、二人は、白人であるロバート・フルトンにタバコを売っていた。それに二人は、白人フルトンから肉を買ってもいた。つまり、自分たちの暮らしに必要な物を得るお金を所有していたことになる。こうしてみると、マリアとハリーの家は、衣類を洗い、タバコを売り、マリア・リーが「説教」と呼ぶ宗教的な集まりをもつ一種の活動拠点を成していたように見えてくるではないか[6]。

そのうえ、裁判記録にはリーの証言として、一見平凡な記述でありながら、アメリカの奴隷制社会の脈絡では実に驚くべきことも書かれている。その記録には、「証言者とその夫ハリーは自分たちだけで家に住んでいる。日中は夫が外に出て、証言者はだいたい家にいるものの、ときには服を集めるために外に出るが、家を出るときには鍵をかける。家の見える近くで水汲みするときや、近所に洗濯物を取りに出かけてもハリーが家で朝食をしていれば、鍵をかけない。ハリーは、〔朝食を済ませて〕出かけるとき鍵をするが、証言者に外で会って鍵を渡す」と記されている。だから、家のドアに鍵がかかっているときロバート・フルトンには、物を置いていくことなどできないと、リーは証言している。これは、マリア・リーとハリーが白人の監視なしに自分たちだけで一軒の家に住み、その家の戸締りをする鍵を所持していたという、何とも驚くべき事実である。奴隷とされた人びとに関する何千もの文献史料のなかで、こんな状況を記したものはないだろう。鍵を所持するということは、誰がいつ家に入れるかを自分たちで管理することができ、白人であるロバート・フルトンでさえ、許可なく二人の家に入ることはできなかったということである。一八四九年には綿栽培の大農場で奴隷監視人《スレイヴ・ドライヴァ》や監督《オーヴァシーア》や所有者が各々の一声で、ミシシッピ州の土地と労働、つまり黒人たちを統治していた一方で、ハリーとマリア・リーは、一時ではあれ、街を歩き、生活に必要な品物を手に入れて、不在のときには自分の住む家のドアに鍵をかけて、まさに夫婦として働いて暮らしていたのである。

そういう生活を送っていたのはマリア・リーとハリーだけではなかった。奴隷とされていた他の人びとも州都ジャクソンの通りを往来していた。検察側の証言者のことばが事実を語っているなら、ジョンもある程度は気ままに歩き回ることができた。ジョンは、農場を横切ってロバート・フルトンと一緒に街に出ていた。現に、おそらく読み書きのできなかったと思われるジョンの代わりにフルトンが代筆した手紙を二人で出しに郵便局に赴いていた。ある日のこと、ジョンはパン屋に行って、そこで働く白人少年にヒ素を手に入れてくれと説得を試みていた。黒人であり奴隷だというジョンの立場では、自分で毒物を買うことはできなかったが、街に出て、毒物を自分の代わりに入手できる人を探しまわることはできた。先にも述べたように、ジョンは、マリア・リーの家を訪れていたし、マリア・リーはジョンがイズラエルと一緒にいるのを通りで見かけたことがあると先に証言していた。所有者の監視の目が届かない都会の空間で生活することによって、奴隷とされた人びとは、奴隷として農業地帯で生活する人びとより行動範囲をはるかに広げることができたということだろう。(7)

自身を貸し出していた奴隷たちは、黒人全体を支配し管理し完全に従属させようとする白人たちの特権に危うくも挑戦を試みていたことになる。ミシシッピ州や他の南部諸州で大半の白人たちは、〔黒人ではあるが奴隷とはされていない〕自由黒人が白人たちと交わるのを嫌い、奴隷とされている人びとが自由黒人と見間違われるほど気ままに移動するのを嫌った。一七世紀半ばから肌の色と人種は、誰が自由の地位を得て誰が奴隷とされるかを決める刻印としてつくられてきた。しかし、肌の色が黒っぽい人たちのなかに、奴隷ではない自由の地位を得ている人がいれば、あるいは自由の地位にあるかのように振る舞う人がいれば、白人たちが全ての黒人たちを奴隷の立場に囲い込むことは難しくなるだろう。

それゆえ、南部諸州では、奴隷とされる人びとが自身を貸し出すことを違法とした州議会も多く、なかには、自分たちの州から自由黒人を排斥しようとやっきになった州議会もある。一八三一年、ヴァージニアで〔奴隷が蜂起して白人たちを殺戮した〕恐ろしいナット・ターナーの反乱の後、ミシシッピ州の州議会では、「この州のすべての個々の自由黒人や混血で一六歳から五〇歳の者は、この法律採択後九〇日以内に州から退去し、理由の如何を問わず、先の境界線内に戻ってはならない」と宣言していた。州を退去しそこなったり、退去してから再来しようとしたりすれば、投獄されるか、五年間は奴隷として売られるという結果を招いた(8)。奴隷制下で奴隷になるのは黒人だけで、黒人は全員が奴隷だと見なそうとする南部社会では、自由黒人が存在したことによって、問題が複雑化するばかりか、奴隷制を制度として築き維持してきた社会構造や理念も揺らぐ。黒人が自由な立場にあるかのように見えること、つまり、自由な立場であるかのように振る舞うこと、どこにでも出かけること、自由に往来すること、そのどれもが、南部白人たちの眼には、黒人が実際に自由な立場にあるのと同じほど忌まわしく映ったことであろう。なぜなら、マリア・リーのように自身を貸し出す黒人は、横切ってはならない境界線を常に踏み越えていたのだから。

マリア・リーとハリーのことについて私たちにはわからないことが実に多い。というのは、奴隷とされた人びとが公的な記録に現れるのは、その人生のほんの一瞬のことだからである。例えば、マリア・リーとハリーが、小さな川のそばで鍵のかかる家に住んでジャクソンでの自立した生活をどれほど長く続けていたか、私たちにはわからない。とはいえ、ジャクソンで暮らすことによって、ミシシッピ州や他の南部州で奴隷とされていた多くの人びとには享受できなかった移動を、二人が一時的ではあっても享受していたことはわかる。マリア・リーの証言から察するに、二人は、働いている仲間たち《コミュニティ》、社会的に他者とつながっている仲間たち《コミュニティ》、宗教的に関わっている仲間たち《コミュニティ》に属していたのである。二人は、奴隷とされていた他の人びとと交わり、白人たちとも交わり、ある程度は気軽にジャクソン市内を移動していた。リーの存在は、黒人たちが〈白人の世話を受けることなく〉自分たちで生きることが可能な人びとだったということを物語ってくれる。言い換えれば、白人優越主義者たちが奴隷制を〈奴隷が生きるのに必要な制度だと〉擁護するのとは反対に、リーには、生きるために白人所有者に頼る必要などなかった。なぜなら、リーには自活する能力と動機があったからであり、自身の目標と望みを抱く知性があったからである。

ここで、マリア・リーが奴隷とされていたということをあいまいにしてはならないだろう。自身が証言しているように、マリア・リーは、ソーイヤ・ティプトゥに所有されていた。ジャクソンという都会の環境で、マリア・リーは、奴隷とされていた他の多くの人びとには不可能な特権を行使することができたが、誰かの所有物／財産であったことも間違いないし、おそらくマリア・リーは、所有者によってその特権がいつ奪われるか、常に気をもんでいたであろう。そのうえ、誰か白人がマリア・リーの可動性に文句を言おうものなら、リー自身も所有者も処罰を受けることになる可能性があった。要するに、リーは、州当局や自身の所有者の手で売られてしまい、ハリーや仲間たちから別れさせられるかもしれないという弱い立場にあったはずだ。白人たちは、マリア・リーの一種の可動性と自立を恐れていただろう。奴隷とされていた人びとなら、反乱を起こしたり、放火したり、ヒ素のような致命的な薬物を、自身が給仕を任されているお茶やコーヒーやミルクやバターに混入させたりして、白人たちを消滅させようと常に企んでいると、白人たちは懸念していた。街を歩き回って汚れた衣類を集めて洗って、シワ取りのノリをつけて仕上げた衣類をバスケットに入れて配達したり、食料を買うために市場に行ったり、自分の家に鍵を掛けたりすること、こういう単純な行為の一つ一つが、所有者や州政府が課す規制に黒人なら従わねばならないと強要する奴隷制度それ自体に抗う挑戦になりうると見なされた。ただそれでも、日常が詳らかに語られるマリア・リーの証言のお陰で、私たちにも、マリア・リーがジャクソンに住んでいた時期に一定の自立を実践して、他の黒人たちと一定の白人たちから成る仲間《コミュニティ》に属し、おそらく、その中心的な存在として生きていた姿を想い描くことができるであろう。

エリザベス・ミード・イングラムの日記を読む

佐々木孝弘

一八六三年五月一〇日の午後、エリザベス・ミード・イングラムは自室に戻ると、日記帳を取り出し、ペンを取って「日曜日、午後二時」と書き込んだ。いま終わったばかりの昼食について離れて住んでいる娘たちに書き伝えるためである。

まるで盗みをしているかのようにして、いま昼食を食べ終わったところよ。ベーコンを少しとコーンブレッド、そしてエマが見つけてきたわずかばかりのサヤエンドウ、それで全部。このお昼は、奴隷たちが奴隷小屋で作りこっそりと見つからないように運んできたものなの。もし奴隷たちが私たちを食べさせていることが分かると兵士たちはただじゃ済ませないでしょうからね。私たちは食事中すべてのドアを締め切った上で、身体と心を維持するのに必要なものを口に運んだわ。まだお茶は少しばかり残っているけれど、アルコールはもう一滴もないの。お父様のために少しだけでもあったらよいのに。

（五月一〇日）[1]

自分の家にいながら「盗みをしているかのように」感じつつ昼食を食べなければならなかったのは、その時に彼女が置かれていた状況に起因している。この日記の著者エリザベスは五七歳の白人女性で、奴隷所有者アルフレッド・イングラムの妻である。この夫婦は当時ミシシッピ州ヴィックスバーグの南二五マイルほどに位置にある一一〇〇エーカーほどある広大な土地に立つ二階建ての大きな邸宅に住んでいた。四月三〇日にユリシーズ・グラント少将（当時）の率いるアメリカ合衆国陸軍（以下、合衆国陸軍）の軍隊がミシシッピ川から上陸すると、危機にさらされる。身の危険を感じたアルフレッドとエリザベスは、五月二日、三人の娘たちを安全のためにヴィックスバーグに避難させた。ヴィックスバーグはミシシッピ川を見下ろす高台の上に位置し、周囲を切り立った崖に囲まれて「難攻不落」だと考えられていたからである。翌三日にはアッシュウッドと呼ばれていたイングラム一家の農場は合衆国陸軍に占領され、広大な敷地はマクファーソン中将およびマクラーナンド中将の軍団の野営地となった。その後一三日まで、一〇日間に渡って彼らの屋敷と土地は占領されることになる。

占領されている間、兵士たちによる「略奪」や「盗み」が多発した。蓄えてあった食料が使われ、食堂が自由に使われただけでなく、野営している兵士たちの手により食器が外に持ち出され、夫アルフレッドの書斎からは貴重な図書がなくなり、さらには女奴隷たちが調理の手伝いをするように強要された。六エーカーもあった菜園は荒らされてほとんど何も残らなかった。彼女の「寝室を除いてすべての部屋からさまざまな物品が略奪された」とエリザベスは記している。占領の開始から一週間が経過した五月一〇日には、イングラム夫妻が口にすることのできたものは、信頼のおける奴隷たちが隠して運んできた食べ物だけだったのである。(2)

兵士たちは、また奴隷たちと接触して、奴隷たちをそそのかすこともした。それを示す記述を一つ引用したい。

ある兵士がエマに一緒についてきて自分の子どもたちの子守りをしてくれないかと頼んだの。エマは断ったわ。すると、その兵士は君の母親と父親はどこにいるのかと聞いたの。それに対して、彼女には父親はいなかったし、母親はまだ自分が赤ん坊の時に死んだと答えたそうよ。すると、「じゃあ、君を育ててくれたのはいったい誰なの」と質問された。その問いに、エマは「奥さまです」と答えたの。その兵士は、「それじゃ、奥さんとずっと一緒にいるのがいいよ」と言ったわ。エマは、「そのつもりです。だって、私はあなたのような白人をいい人だとは思っていませんから」と言ったのだそうよ。

（五月一五日）

この記述によると、このときエマは誘いに乗らなかったようだが、このような誘いに乗って兵士たちと一緒にいなくなった奴隷たちも数多くいたようだ。(3)

一二日になると合衆国陸軍兵士たちは次々と農場を去り、一三日には一人もいなくなった。彼らは東方のジャクソンを目指し、ジャクソンから今度は鉄道路線沿いに西方のヴィックスバーグへ進軍し、一八日にはこの町を包囲した。その後、一か月半にも及ぶ包囲の末に七月四日にはヴィックスバーグは陥落し、ミシシッピ川の支配権が完全に合衆国の手に収められることになる。

兵士たちが去った後も農場は混乱した状態が続いていた。奴隷とされていた人たちのうちの何人かは兵士たちとともに去り、どこに行ったのか行方が分からなくなっていた。貴重品の紛失や盗難も続いた。もはや兵士たちが盗んだとは考えられないのだから、疑いは当然奴隷とされていた人たちにかかることになった。

今日はとても悪いニュースがあるわ。〔……〕私にはとてもつらいことよ。子どもたちの銀板写真がみななくなってしまったの。眠っている子どもたちの肖像写真が――みんな、みんな失われたわ。なぜ、こんなことが起こるのでしょう。こんなにも酷い罰を受けなければならないどんなことを私たちがしたというのでしょう。とっても困ったことだ。〔亡くなった次男〕エドワードの飾帯と六対の手袋も私の衣装箪笥から盗まれていた。残念だけど、こんなことをした犯人はエマじゃないかと思うの。私はもうエルシー以外誰も信頼することができない。エルシーは私の食事の世話をしてくれて私の面倒をみてくれる。私の子どもたちは決して彼女のことを忘れたり、見捨てたりするなんてことをしてはいけない。もし今後万が一にも彼女が私たちのもとを去ることがあるとしても、それは彼女としてはできる限り正しいことをしようとしたのに、誤った方向に導かれてしまっただけだということを記憶しておいてね。今日はとても長い一日だった。お父様は気落ちしているわ。兵士たちによって荒らされてしまった仕事部屋をなんとか元通りにしようとこの三日間必死になっていらしたから。

（五月一五日）(4)

召使いたちの態度も変化を見せた。快く仕事を引き受けなくなってきたのである。主人であるアルフレッドやエリザベスに許可を得ずに外出してしまう奴隷たちも増加した。ある者は与えられた仕事をときにはやんわりとした口調で理由をつけて断った。ときには、もっとはっきりとそれはできませんと言う者まで出てきた。このような状況の中でエリザベスは、普段やらない仕事をすることになった場合には、その仕事に対して賃金を支払うという実験を試みることになる。

私は今日久しぶりに二階へ上がってみた。ひどい状態だ。この大部分は私たちの奴隷たちの仕業に違いない。鏡は一つ残らずなくなっていた。陶器もすべて失われていた。すべてが混乱状態にあった。この混乱した二階を片付けるために働いてくれた人には一日当たり五〇セントを与えると申し出たけど、誰も引き受けてくれるものはいなかった。明日からエルシーが一人で片づけを始めることになるでしょう。今のままでは、何が起こっても誰も住むことができる状態ではないのだから。もう一度このような混乱が起こる前に自分で火をつけてこの家を燃やしてしまおうかしら。

（五月一八日）[5]

仕事に対して賃金を支払うというエリザベスの提案は、予想もしなかった副作用をもたらすことになった。彼女のもともとの意図は自分の仕事ではない仕事をしたときにのみ一日につき五〇セントを支払うというものだったが、召使いたちの中には、本来の自分の仕事を行なう際に賃金を要求する者が現れた。例えば、乳母のマーサは「賃金をもらわない限り」パッツィーの赤ちゃんの面倒は見ないと言い出した。しかたなくパッツィーはエリザベスのもとへ生後三か月の赤ん坊を連れて来なければならなかった。そのときには、マーサによる適切なケアが与えられていなかったためか、赤ん坊の顔に大きなできものができていた。[6]

エルシーはまだ忠実だ、私たちを食べさせてくれるし、できることをしてくれる。リア・ジェーンもそうだ。〔……〕〔でも〕エマは私の給仕をすることに飽きてきたようだ。正午になっても姿を見せなかった。

（五月一三日）

エルシーはとても気が利く。エマに一ドル紙幣を手渡してどこでも好きなところへ行ってくるように言い、家に寄り付かないようにさせた。

（五月二二日）

私はもう心配しないわ。彼ら〔黒人たち〕は私を悩ませることはないし、私も彼らに面倒をかけるようなことはしない。いずれは、私たちは彼らをみな失ってしまうことになると私は信じている。もしヴィックスバーグが陥落することになれば、きっとそうなるわ。〔……〕ジャックはエルシーを説得してここから一緒に出て行こうとしているみたい。私が彼を呼ぶとすぐにかけつけて何でもやってくれる素振りを見せているけれど。エルシーは、夫に家と生活費を稼ぐ術を与えてくれたら出ていくと答えたようだ。でも彼は自分が出て行ったら母屋での仕事を辞めて、子どもたちと一緒に洗濯場に移って仕事をするように言ったらしい。〔もし彼女がこのまま仕事を続けてくれるならば〕私はエルシーに月一二ドルの賃金を与えて、四人の子どもたちをみな解放して自由にしてあげてもよいと思う。これは決して悪い賃金ではないはずよ。小さな子供たちの面倒はベッキーが見ればよいし、モーズもベッキーを手伝えるでしょう。ジャックは自由なんだから、エルシーも自由なんだと考えるべきなのでしょう。ジャックが見つけた家がどこであっても、そこに行くのは彼女の自由よ。エルシーがどうするかは神様しか分からないわ。

（五月二七日）

たしかに、エルシーと四人の子どもたちにこれまで通り住居と食べ物を与え、その上に月一二ドルの賃金を支払うというのは「よい待遇」ということができるかもしれない(7)。

六月にはいると奴隷たちが次々に去っていった。それとともに、イングラム夫妻のエルシーに対する依存が強まっていく。他の奴隷たちすべてを失うことになるとしてもエルシーだけを失いたくないと思うようになっていった。

かわいそうなエルシー。彼女は自分の夫への義務と女主人への義務の間で板挟みになってつらいのよ。いっそのことヘイズ氏〔エルシーの夫ジャックのこと〕が彼女から去ってくれたらエルシーもほっとするのでしょう。私は彼がいなくなってくれれば嬉しいわ。だってジャックは信頼できる人ではないから。〔……〕もはや他の誰もがしないのにエルシーが私の給仕を続けていることをジャックは不満に思っているようね。自分の妻がこれまでと同じように「屋敷に来て主人と私に仕えていて」まるでまだ自由になっていないかのような行動をしていることが気に入らないのよ。だけど、本当のところそれは事実と違うわ。エルシーは九時になると、時にはもっと早く、奴隷小屋へ引き上げてしまうもの。私たちが口にできるほんの僅かなものを奴隷小屋で作って屋敷に運んでくると、短時間で私たちはそれを食べ、エルシーが洗いものをするのを私も手伝って、それが終わると彼女の仕事はおしまいなのだから。〔……〕彼女はすすんで仕事をしようとするし私が働くのを見るのを嫌がるけど、ジャックは悪党よ。なぜなら、自分は忠実で私を置いて出ていくことはないと私をずっと信じ込ませてきたのだから。

（五月三一日）

このあと、エリザベスは、ジャックについてエルシーが次のように語っていたことを記している。「私たち黒人は奥さまがお会いした人たちの中でもっとももっともありふれた人間たちなのです。〔……〕黒人たちは悪い人たちですから、その言葉をそのまま信じないでください。彼らはただの黒んぼたちなのですから」と。(8)

エルシーなしでは、私たちはもうどうしたらよいか分からない。それなのにジャックはいつも彼女のところへ来て耳元でもう立ち去るように囁いている。彼こそ早くいなくなってエルシーを構わないでくれたらよいのに。彼女はジャックを追いかけたりしないわ。彼女は夫にどこかへ行って彼女が住むことのできる家と生活費を稼ぐ術を探して来てくれたら私から離れていくと言っている。〔……〕彼女はこれまで文句のつけられない行動をしてきたわ。それに報いるのに、〔月一二ドルと住居と生活費は〕じゅうぶんな賃金だと思う。四人の子どもたちの分を加えると五つの口を満たさなければならないのだから。私は彼女のやり方を良く知っているし、彼女も私のやり方を熟知している。その上、彼女は間違いなく正直で誠実な人で、これは黒人には珍しいことだ。

（六月二日）(9)

六月五日の金曜日の夜になると、マーサと三人の子どもたち、それにエマが去っていった。七日の日曜日には他の多くの者たちが出ていくために荷物を作り始めている。ジャック・ヘイズは去ることを決めているようだ。彼が行ってしまうのは構わないが、「どうか妻を連れて行くことがないように」と、エリザベスは日記に綴る。エルシーがいなくなったらやっていかれないし、「もし自分で料理をしなければならない羽目に陥ったら、死んでしまうでしょうから」と書き加えた。(10)

六月一〇日には、以下のような記述が残されている。

ファニーとジョン・スミスとその子どもたち、バックとその家族、デイブとその家族、そしてケイトとその家族、総勢一三人が家を出て行きました。デイブは戻ってくるつもりだと口では言っているが、きっと北軍兵士たちがそれを許さないでしょう。〔……〕ジミー・Wが言うように、まだ出て行かずに留まっている者たちもみなきちんと仕事をする意欲を失っているのだ。何か仕事を与えても、それを半分だけしてやめてしまう。私の寝室の掃除が終わりきれいになったと言うので行ってみると、床を軽く掃いただけでベッドは乱れたままだ。それでも掃いてくれるだけで有りがたいので、私は何も言わないのだ。

(六月一〇日)(11)

六月一一日に長男のフランシスが去る五月三日にチャンセラーズヴィルで戦死したというニュースが届き、そのことに関する記述でこの日記は終わっている。

この日記の記述でもっとも印象的に描かれているのは、状況の推移の中で奴隷たちが取った行動の変化を目にしたエリザベス・イングラムの心の揺れ動きである。合衆国陸軍の侵入し、混乱と「略奪」が起こり、奴隷たちの逃亡や「自分勝手な」行動につながっていくという話の流れは、他の多くの同時期に書かれた日記の記述にも共通する内容である。しかし、この日記は著者エリザベスが離れて暮らす三人の娘たちにも分かるように他者の視点を意識して自分の心の移り変わりを描写しているので、他の史料には見られない価値がある。エリザベスのエルシーに対する絶対的なけっして揺らぐことのない信頼は、何に基づくものなのだろうか。

ここでエルシーをはじめ奴隷たちの立場に立って、女主人エリザベスの主観で書かれているこの日記の記述を解釈してみよう。改めて指摘するまでもなく、奴隷たちにとっては所有者の信頼を得ることが安定的で良好な生活条件を確保するために必要だった。エマが兵士たちの一人に、これからも女主人のエリザベスとずっと一緒にいるつもりだと語ったという話は「話半分」として聞かなければならない。なぜなら、このような言葉こそエリザベスが奴隷たちの口から発せられるのを聞きたがっていた言葉なのだから。女主人が何を聞きたがっているのかを敏感に察したエマが自分の立場をよくするためにこの話を作り上げた可能性を否定できないからだ。同じように、エルシーの夫ジャックが呼ばれたときにはすぐに足を運んで「なんでもやってくれる素振り」を見せて、長い間自分は忠実な奴隷だとエリザベスを信じ込ませてきたのは、そうすることによってエリザベスの下での生活を少しでも良いものにしていこうとしたのだろう。結局のところ、エマは六月五日に出ていき、ジャックも妻のエルシーと子どもたちを連れて出ていくことを決心するようになった。このような奴隷たちの行動や姿勢の変化に直面したエリザベスは自分の信頼が裏切られたと感じられたのである。

エリザベスが絶対的な信頼を置いていたエルシーも、奴隷制度の中で所有者と奴隷たちの間に築かれていた力関係の中でエマやジャックと全く同じ立場に立たされていた。自分の生活を安定させるために、常にエリザベスと交渉し続けなければならなかったのである。この点、エルシーはエマよりも、またジャックよりもはるかに巧みに、かつ狡猾に、自分の進む道を切り開いていった。恐らくエルシーは鋭い観察力をもっていて、長年にわたってエリザベスに仕えてきた生活の中で女主人の人となりを理解し、その心の動きや心理をあやつる術を会得していったのだろう。まさにエリザベス自身が認めるように、「〔エルシーは〕私のやり方をよく知っている」というところまで到達していたに違いない。

興味深いことは、エルシーが自分の夫ジャックの行動まで利用して、エリザベスのさらなる信頼を勝ち取ろうとした点である。ジャックがエルシーの耳もとで囁き、すぐに出て行こうと促したのに対してエルシーは夫の誘いを拒否したという話は、ちょうどエマの場合と同じように、女主人エリザベスが聞きたいと願っていた話に他ならない。エリザベスはエルシーからこの話を聞いて、これはエルシーの自分への忠誠心の証しだと解釈した。しかし、このときのエルシーにとっては自分と子どもたちの経済的安定こそもっとも重要な問題だったのだろう。

日記の記述にあるように、もしエルシーが実際に「家と生活費を稼ぐ術を与えてくれたら出ていく」

と答えたのだとしたら、二人とも自由になったとして自分たちと四人の子どもたちを食べさせていくにはどうしたらよいかを夫ジャックに考えさせて、彼の父親としての覚悟を試したのだとも解釈できる。所有者に食べさせてもらう生活しか経験したことのないジャックは、自分の食い扶持を働いて稼ぐことも、エルシーと四人の子どもたちを扶養することも、経験したことがないはずだ。このまま夫に従って家を出ることには大きなリスクがあるとエルシーが考えたとても不思議はない。

しかし、より直接的には、女主人のエリザベスにこの話を伝えることによって、場合によってはエルシーも夫の誘いにのって去っていくこともあり得ることを示唆して、エリザベスから最大限の譲歩を引き出す狙いがあったのではないだろうか。エリザベスの記述によれば、かつては日中一杯はエリザベスのために働きづめだったエルシーも、この時期には奴隷小屋で準備した「ほんの僅かな」分量の朝食を運んで来て、主人たちに食べさせ、簡単な洗い物を済ませたあと「九時になると」引き上げてしまうようになっていた。つまり、かつては無給でフルタイム働いていたエルシーが、一日数時間だけ勤務して、あとは自分の奴隷小屋で時間を使うことができるようになっていた訳である。その上に、この形で仕事を続けてくれるなら ば「月に一二ドルの賃金」と子どもたちを含めて五人分の食料、そしてこれまで住んできた住居（奴隷小屋）を与えるという好条件をエリザベスの方から提示させたのだった。奴隷たちの行動を比較検討しながら一人一人の忠誠心の度合いを測ろうとする女主人エリザベスの心の動きを巧みに操りつつ、自分にとって望ましい結果を引き出すことに成功したエルシーの手腕には感心する以外ない。

この日記の記述のあと、エルシーはどのような行動を取ったのだろうか。他の奴隷たちと同様に、ジャックとともに子どもたちを連れて家を出散ったのだろうか。それとも夫と別れてでも経済的な安定を求めて主人たちのもとに留まる道を選択したのだろうか。残念ながら、この点について史料は何も語ってくれない。

石鹸がもたらした人びとの生活の近代——一九世紀イギリスの場合

永島　剛

家に帰ってきたとき、トイレに行ったあと、あるいは食事の前などにすることといえば、石鹸で手を洗うことである。日本やあるいはここで注目するイギリスでも、今では多くの人に共有されている日常的な習慣といってよいだろう。もちろんこれができない場合も起こりうる。それは、日常からの逸脱とみなされる。汚れを落とし、手を衛生的に保つことによって、手に付着したバイ菌が口や鼻から体内へ侵入することを防ぎ、病気を予防することができる、と子どものころから習い、潜在的に意識している。

たとえばコレラやチフスなどのように、不衛生な生活環境が要因となって伝播する急性感染症は、現代の日本やイギリスにくらべて、一九世紀には格段に多かった。これにはいろいろな要因が関わっているだろう。いまの日常生活から逆算して想像してみよう。もしたとえば、安全で充分な水、そして身体はもとより食器や衣服を洗うための石鹸・洗剤が手に入らなかったとしたら。

一九世紀イギリスにおける衛生改革の提唱者、エドウィン・チャドウィックによる『イギリス労働者階級の衛生状態に関する報告書』（一八四二年）によれば、当時のマンチェスター（「産業革命」の中心都市）における労働者階級の平均死亡年齢は一七歳だったという。[1] なかなか衝撃的な数字だ。平均を押下げている最大の理由は、乳幼児期に亡くなる子どもたちの多さであり、脆弱な乳幼児期を生き抜いた当時の労働者たちが平均一七歳までしか生きられなかったわけではない。しかし成長してからも、比較的若い時期に病気に罹り亡くなるリスクは、やはり今日よりも高かった。過酷な労働条件、低賃金（＝貧しい食事）による栄養摂取水準の低さなどによる病気にたいする抵抗力の弱さに加え、衛生的に劣悪な生活環境が病気の蔓延・伝播を助長していたことが考えられる。

PUNCH, OR THE LONDON CHARIVARI.—June 18, 1859.

THE LONDON BATHING SEASON.

"COME, MY DEAR!—COME TO ITS OLD THAMES, AND HAVE A NICE BATH!"

図1 The London Bathing Season. *Punch* (18 June 1859)（掲載許可：Mary Evans Picture Library）

当時のイギリスでは、汚物から発する瘴気を吸い込むことでチフスなどの「熱病」に罹るという見解が流布していた。瘴気とは、おそらく臭気として人びとに知覚されたと想像される。チャドウィックもこの見解にもとづき、瘴気を発すると考えられた腐敗物や尿などが滞留する都市の労働者街の不衛生状態が問題と考え、それらを流し去ることができるような上水の充分な供給と、下水道整備の必要性を提唱した。チャドウィックの奔走もあり、一八四八年に「公衆衛生法」が制定され、政府や自治体が衛生改革に本格的に取り組む一歩が踏み出されることになった。また一八四九年、ロンドンの医師ジョン・スノウは、コレラ患者が特定の井戸や特定の水道会社の給水を受けている人に多いことから、汚染された水がコレラ伝播の要因であることを突き止め、やはり衛生的な水供

給の重要性を指摘している。(2)

しかし水道や下水道の整備には大がかりな土木工事が必要であり、費用も時間もかかる。現に一八四八年以降も、財政的、技術的、政治的な困難さから、衛生改革はかならずしも順調には進まなかった。(3)たとえばロンドンのテムズ川では、下水道の不備（川への垂れ流し）のため、一八五〇年代になってもひどい汚染が続いていた。

『パンチ』という雑誌に掲載された風刺画を見てみよう（前ページ、図1）。「ロンドンの水浴びシーズン」（一八五九年）と題されたこの絵の右側に描かれているのは、労働者階級の少年である。当時貧しい少年たちの仕事の一つであった煙突掃除（足元に掃除用具が置かれている）のため、顔・手足や洋服は煤で真っ黒になっている。いっぽう左側のヘンな帽子をかぶり髪と髭がぼうぼうの男性は、テムズ川が擬人化された「テムズ父さん」だ。テムズ父さんに水浴びに誘われた少年は、鼻をつまみながらいやがっている。自身も煤で汚れている少年ですらいやがるほどのテムズ川の悪臭と汚染というわけである。

個人の手には負えない都市空間全体の衛生改革がすぐには進まない状況下で、もし不衛生を原因とする病気に罹りたくないのであれば、人びとはさしあたり自分たちの身の回りの清潔をなんとか保つ必要があった。

近代的な看護のあり方を提唱したことで有名なフロレンス・ナイティンゲールも、図1が『パンチ』に掲載されたのと同年に出版されたその著書『看護覚え書』（一八五九年）で、身体の清潔の重要性を説いている。ただ水で手や身体を流すだけではだめだという。石鹸を使い、できれば温かいお湯で洗うことで、はじめて汚れを落とすことができるというのである。(4)もちろんナイティンゲールのような専門家がその重要性を指摘しているからといって、当時の一般の人びとも認識を共有していたとは限らない。また、かりに認識していたとしても、それを実行できたかどうかは別の話である。端的にいえば、風刺画に描かれているような貧しい煙突掃除の少年は、その真っ黒な顔や身体を、石鹸を使って洗い流すことができたのだろうか。

石鹸は、油脂とアルカリを混ぜることで作られる。アルカリとは炭酸ナトリウム（苛性ソーダ）、炭酸カリウムなど、理科の実験で溶液を赤色のリトマス試験紙に浸すと青色に変化する物質の総称で、植物の灰にはこれらが多く含まれている（そもそも「アルカリ」とは、アラビア語で海辺の植物を燃やしてつくった灰の意味であるという）。

エジプトやローマなどではすでに紀元前から、動植物からとれた油分と植物の灰をまぜて作られた石鹸が使われていた記録があるようだ。中世ヨーロッパでは、地中海沿岸の各地で、オリーブ油と海藻灰を使った石鹸生産がさかんとなり、とくにフランスのマルセイユはその集積地として栄えた。イギリスでも、石鹸製造のギルド（同業者組合）が存在し、親方たちの製造法を徒弟たちが受け継ぎながら手工業的な製造が続けられていた。しかし手作業では製造に手間がかかり、天然の原料も不足しがちだった。まだ生産に限界のあった一八世紀において、まっとうな質の石鹸の値段は高めで、おもに富裕層向けの嗜好品であり、かならずしも庶民が自由に使うことができるわけではなかったようだ。

一八世紀中頃、イギリスは世界に先駆けて「産業革命」のプロセスに入ったとされる。たしかに繊維産業の技術革新にともなう工場制への移行はイギリスで始まったとみてよいが、しかし石鹸にかんする

「産業革命」は一八世紀末、イギリスではなくフランスが起点だった。一七九〇年頃、フランスの化学者ニコラ・ルブランが、塩から炭酸ナトリウムを生成する方法（いわゆる「ルブラン製法」）を開発し、これにより不足しがちだったアルカリ原料の問題が一つ解決された。その後、もう一つの原料である油脂を化学的に生成する方法も開発され、一九世紀前半には、こうした技術によって生産された原料を導入した石鹸工場がイギリス各地でも操業を始めた。(5)

生産性が上がれば、値段は下がる。「ロンドンおよび地方石鹸製造者連盟」の報告（一八四六年）によれば、重量一ポンド（約四五四グラム）当りの石鹸の平均価格は、一八二二年には約九ペンスだったが、一八四六年には約四・三ペンスと、半分以下に下がった。もちろん品質の良いものはこれよりも高く、富裕層が使うような高級石鹸は、一八四六年においても一〇ペンス以上した。逆に労働者家庭向けの低級品には、四ペンス弱で購入できるものもあった。当時の庶民たちは雑貨店で、棒状になっている大きな石鹸の塊から必要分を切り売りしてもらうことが一般的だった。

価格が下がったことで、石鹸の消費量が増えてもよさそうなものである。しかし石鹸製造者連盟によれば、一八二二年から一八四六年の間に価格は半分になったにもかかわらず、人口一人当りの年間の平均消費量は、重量六・五五ポンド（約二・九キログラム）から七・二二ポンド（約三・二キログラム）にしか増えていないという。もちろん階層別にみれば差があった。中流階級であれば一人当り年間三〇ポンド（一三・六キログラム）、比較的裕福な労働者階級では平均一二ポンド（五・五キログラム）は使っていたのではないかと推計されている。(6) つまり、金銭的にはあまり余裕のない労働者層の消費が伸び悩んでいたことになる。

ここで一つ注意しなければならないことは、これはあくまで「正規」製品の消費についてのデータであるという点だ。イギリスでは一七世紀以来、さまざまな物品について「内国消費税（excise duty）」とよばれる間接税が課されており、これが国家財政の根幹の一つとなっていた。イギリスは一八世紀末から一八一五年にかけてフランスと戦争状態にあったが、そうした戦費を調達するためにも内国消費税は重要な財源だった。(7) そして石鹸にもこの税が課されており、製造業者が納入することになっていた。そうした課税記録のある業者によって製造された（すなわち税務当局によってその製造量が把握された）石鹸が、ここでいう「正規」製品の意味である。じつは課税を逃れるため、となりのアイルランドなどで製造された石鹸の密輸入が横行しており、そうしたいわば「不正規」品が闇市場をつうじてかなり流通していた可能性もある。

正規の製造業者たちにとって、値段の安い不正規品の流通は、自分たちの製品の販売を脅かす由々しき事態だった。税務当局は、不正規品の取締りを強化するなど対応策をとっていたが、正規業者で構成される石鹸製造業者連盟は、石鹸にかかる内国消費税そのものの撤廃こそが望ましいと主張していた。取締りには限界があるし、税務当局による介入の強化は正規業者の自由な経済活動の阻害要因ともなりかねない。さらに税が価格に転嫁されることで、経済的に余裕のない労働者階級の石鹸の購入に負の影響を与えていることも、消費税撤廃が望ましい理由として指摘された。

現在の日本で石鹸にかかる消費税率（二〇一九年一〇月～）は一〇パーセントだが、これは価格の一〇パーセントという意味だ。つまり石鹸一個一〇〇円とすると消費税は一〇円。これにたいし、当時のイギリスで石鹸にかかる消費税は、値段にたいする税率ではなく、重量当りいくらか、という形で税額が定められていた。一八四〇年代においては、石鹸の重量一ポンド当り税額は三ペンスだった。この消費税額が価格の何パーセントに相当するかに換算すれば、品質のよい値段の高い石鹸ほどそのパーセンテージは低くなり、安い石鹸ほど高くなる。つまり、安い石鹸を買う可能性が高い貧しい労働者階級ほど、購入額における税額の比率が高かったということになる。

イギリス議会でも一八二〇年代以来、石鹸税が公正な経済活動を阻害していること、そして貧しい労働者階級が清潔を保つために充分な石鹸使用が妨げられていることは、たびたび指摘されており、税額の見直しは行なわれたものの、石鹸税そのものの撤廃にはなかなか至らなかった。税収の落ち込みが懸念されたためである(8)。

一八五二年の年末、アバディーン伯爵を首相とする内閣が成立し、ウィリアム・グラッドストンが財務大臣に就任した。グラッドストンは自由主義者として知られ、平和主義的な外交政策のもと軍事費を削減すれば、政府支出、ひいては人びとの税負担を少なくできると考えていた。彼は一八五三年度予算を立案するなかで税制の見直しをすすめ、富裕層の相続税については増税、その一方で庶民生活にかかわる部分では、いくつかの食品にかかる関税の廃止、そして石鹸にかかる内国消費税についても廃止を提案した。この提案にもとづき、一八五三年七月、ついに石鹸に課されていた内国消費税の撤廃が議会で承認された(9)。

折しも一八五〇年代から六〇年代にかけては、イギリスが総合的な工業力で他国をしのぎ、「世界の工場」ともよばれる地位を確立した時期だった。多くの労働者たちの実質賃金も上がったことについては、経済史家たちの多くが同意している。消費税の撤廃、庶民層の購買力増加は、石鹸製造業者たちにとって、ビジネス・チャンスの到来であった。一八七三年以降、イギリス経済は不況に陥ったとされ、低賃金や失業に根ざす貧困問題の深刻さが再び注目されるようになったが、職を維持しまっとうな賃金を得ることができていた労働者たちにとっては、不況にともなうデフレ（物価下落）傾向は実質賃金の上昇を意味したため、「大衆消費社会」への流れは続いていたとみられる。[10] 人口一人当りの年間石鹸消費の平均量は、一八六一年の八ポンド（三・六キログラム）から、一八九一年には一五・四ポンド（七キログラム）へと倍増した。[11]

こうした需要増のもと、国内の石鹸製造業者たちは販売に力を入れ、自社製品の市場拡大につとめた。消費者の心をつかむような石鹸の商業広告も新聞や雑誌に現われるようにもなった。

図 2 You Dirty Boy, Pears Soap Adver-tisement. *Illustrated London News* (14 December 1889)（掲載許可：Mary Evans Picture Library）

図2は、一八八九年一二月一四日の『イラストレイテッド・ロンドン・ニュース』に掲載された、ロンドンの石鹸メーカー「A&Fペアーズ社」の新聞広告だ。キャッチフレーズは You Dirty Boy!「まぁ、この子はこんな

汚れちゃって！」といった感じか。労働者階級とおぼしき老婦人が、少年の耳裏あたりを石鹸で洗ってやっている。婦人はにこやかだが、少年はくすぐったいのか、あるいは石鹸が目に入って痛いのか、目をつむってされるがままになっている。ユーモラスで微笑ましい風情のこのイラストは、キャッチーなイラスト広告をたびたび発表して注目されていたペアーズ社の石鹸広告のなかでも有名な一枚である。(12)

この広告は、一九世紀末までに、いまや一定の購買力をもつ労働者階級が、石鹸メーカーの販売促進の主要なターゲットとなっていたことを示唆している。もちろん深刻な貧困問題は継続中であり、石鹸を自由に使うことはおろか、その日の食料にも困る人びとはまだ多くいた。いまは石鹸のある生活を享受できていたとしても、失業・病気・事故など不慮の出来事がきっかけでそこから脱落するリスクも高かった。しかし、図1の煙突掃除少年のように身体も着衣も真っ黒に汚れたまま街中を歩かなければならなかったような子どもたちは、比率の上では一九世紀前半にくらべて少なくなっていたと考えられる。

そもそも年少者の児童労働は制限されるようになっていた。その代わり、首相となったグラッドストンの内閣の下で一八七〇年に初等教育法が制定され、より多くの子どもたちが小学校に行くようになっていた。とくに女子たちにたいしては、家族の衛生的な生活のための家事のあり方を含む家庭科教育の導入も始まっていた。(13) 手や身体を石鹸で洗い、洗剤を使って衣服や食器を清潔に保つことが望ましいということが、大多数の庶民たちにとって日常的な規範となりつつあったといえよう。上流・中流階級のみならず労働者階級においても、「清潔であること」が「ちゃんとしている（respectable である）」ことを意味し、そうでない人びとを差別的にみるような感覚が、この時期に広まりつつあったという指摘もある。(14)

広告の効果もありペアーズ社は市場をひろげたが、石鹸メーカーとして成功していたのは同社だけではなかった。競合他社のなかでもリーバ・ブラザーズ社は、一八八四年に販売を開始したパーム油（アフリカから輸入）などを原料とする「サンライト石鹸」の評判がよく、そのブランド化に成功していた。第一次大戦さなかの一九一七年、戦争による物資・資金不足や市場の収縮で石鹸業界全体が苦境に陥るなか、ペアーズ社はリーバ・ブラザーズ社に買収されている。一九二九年、リーバ・ブラザーズ社がオランダの油脂（とくにマーガリン）メーカーであったユニ社と合併して誕生したユニリーバ社は、いまでは洗剤・化粧品・食品を扱う世界的な企業グループである。

一九世紀イギリスをふり返ってみると、グラッドストン財務相による一八五三年における石鹸にかかる内国消費税の撤廃は、労働者階級の平均的な実質所得の上昇傾向と相俟って、石鹸の普及における一つの画期だったといえよう。一九世紀末までに、不衛生な生活環境が伝播を助長する急性感染症の発生率は低下しつつあったが、労働者階級への石鹸や洗剤の普及は、それが決定的要因ではなかったとしても、その低下に一役買っていたとも考えられる。

これだけをみると、石鹸税撤廃が人びとの衛生向上に好影響を与えたことになる。ただしグラッドストンの財政政策は、衛生改革に冷淡だった側面もある。もし政府の収入と支出を均衡させようとするならば、減税分を他の徴税方法で補うか、支出を抑制する必要がある。グラッドストンはその後四回も首相として政権を担当し、その自由主義的な均衡財政の方針は、一九世紀後半をつうじて影響力を保持していた。彼の内閣のもとで前述の初等教育法（一八七〇年）のほか、公衆衛生法（一八七二年）という重要な法律も成立した。しかしその一方、中央政府の予算はつねに抑制気味であったため、実際の衛生政策を担当する地方自治体が財政力を欠いていた場合、中央政府から充分な補助を受けられずに、水道・下水道整備や衛生行政の拡充が停滞することもあったのである[15]。

そしてまた、石鹸が増産されるようになったこと自体にも、問題がなかったとはいえない。ルブラン製法をもちいて生成されたアルカリ（炭酸ナトリウム）を原料として導入したことが、一九世紀前半に石鹸製造の生産性が上がる一つの要因だったことはすでにみた。アルカリ製造工場はイギリス各地で操業し、イギリス化学工業の勃興を象徴する存在だった。ルブラン製法によって塩（塩化ナトリウム）から炭酸ナトリウムを生成する際、その過程における化学反応で塩化水素が発生する。これを当時の工場では、大気中にそのまま放散していた。塩化水素は水溶液にすれば塩酸とよばれる有害な物質である。アルカリ工場の周辺では、住民から健康被害や、農作物・家畜などの被害が訴えられることが頻発した。

イギリス議会でこの問題が取り上げられ、有毒ガスの排出規制とそれを監視する政府の監督官の任命が規定された「アルカリ工場規制法」が制定されたのは、一八六三年のことだった。といっても工場の操業自体が禁止されたわけではなく、規制がすぐに効果を発揮したとはいえない[16]。一八六〇年代にはすでに塩化水素を発生させないアルカリの新たな製法が開発されていたが、イギリスでは他の欧州諸国にくらべて多くのルブラン製法による工場が、一九世紀末にいたるまで操業していた。

もちろんアルカリにはさまざまな用途があり、石鹸製造だけのために生産されていたわけではない。しかし、ルブラン製法によるアルカリが石鹸の生産性向上と価格低下に寄与していたことを考えると、石鹸の増産と労働者階級への普及が、大気汚染という公害の発生と無関係ともいえないのである。

母が子どもを手放す時——ベトナム戦争と国際養子縁組

佐原彩子

一九六五年、アメリカ政府は北ベトナムへの大規模空撃を開始し、地上軍を派遣し、ベトナム戦争の泥沼にはまり込んでいった。従来、アメリカと勇敢に戦ったベトナムという構図で語られるベトナム戦争において、ベトナム共和国（南ベトナム）はその存在をしばしば無視されてきたが、そこにも人びとの暮らしがあり、戦争がもたらす困難があった。

一九四〇年ベトナム南部生まれのチュオン・レ・チ（Truong Le Chi　以下チと記載）も戦争でその生活が大きく変わった人びとの一人である。(1) チは、南ベトナム首都サイゴンの女学校ザー・ロン（Gia Long）に一一歳で入学した。(2) 女学校の卒業試験のために勉強を教えてくれていた、家庭教師であり六歳年上の工科大学の大学生と恋愛関係となり、彼が大学を卒業したときに結婚した。チは、その時二〇歳で薬科大学の大学生であった。夫はアメリカに一年間留学したり、台湾に行ったり、エンジニアとして語学もできた。そのためか結婚後、電気会社の社長補佐となった。チは結婚後計五人の子ども（長男、次男、長女、三男、四男）を出産しながら、一九六八年に薬科大学を卒業する。将来有望な夫と幸せな結婚生活を送っていたが、六人目の子ども（次女）の出産前にその状況は一変した。夫が胃癌となり、一九六九年に亡くなってしまったからである。妊娠中であったチのことを案じて、夫の親族は夫の病気を彼女に知らせなかったため、夫の死は突然であり大きな悲しみをもたらした。

夫の死後チは、生活のためにサイゴン近郊の町に薬局を開店する。戦争下で困窮するなか、実の父親が大いに助けてくれた。一九六三年生まれの長男（ハイ）は当時の様子を以下のように振り返っている。

僕たちは一緒に過ごした。一つの大きい蚊帳で、兄妹一緒に寝ていたことを覚えている。その頃、僕たちはとても貧しかった。食べるのに十分な食事もなかったことを覚えている。母の父である、祖父がいっぱい助けてくれた。僕は夜に目が覚め、母親が泣いているか蚊帳のなかの蚊を殺そうとしているのを見たことを覚えている。それらは記憶に刻み込まれている。

何不自由のない生活から日々の食事にも困る生活への転落は、チに大きな決断を迫らせることとなった。それは、一九七四年、チの状況を見かねた友人が、子どもをアメリカに送る事業を紹介し子どもを手放すことを提案したことから始まった。チは、当初懐疑的であったが、紹介された事業団体「ベトナムの子どもたちの友（Friends of the Children of VietNam）」と「ウェルカム・ハウス（Welcome House）」をリサーチしてみると、両親を亡くしたりひとり親であったりする子どもがアメリカ人家庭に養子縁組され、その子どもたちがベトナムの元の家族とも連絡を取っていることを知った(3)。養子縁組をした後も子どもたちと連絡が取り合えること、一九七五年にこうした事業は閉鎖されるとのことを聞き、同年四月末には六人の子ども全員を二団体ともに応募させた。

両方の団体ともに、一〇歳以下の子どもを対象としていたため、当時一二歳であった長男と一一歳の次男は参加できないと同年八月に告げられた。チとしては長男と次男は養子縁組をしても連絡を取り合うことができる年齢だが、その他四人の子どもたちは幼すぎると感じ躊躇した。だが戦況が日々悪化するなかで、子どもを他国へ避難させる必要があると感じ、長男次男以外の四人の「ベトナムの子どもたちの友」用書類を完了した。「ウェルカム・ハウス」にも四人分の枠があったことを利用し、三男の書類を次男用に流用し年齢を詐称することで、次男を「ウェルカム・ハウス」に応募させた。これにより、一九七五年三月に四人の子どもたち（九歳長女、七歳三男、五歳四男、四歳次女）が、四月に次男が、アメリカへ養子として迎え入れられるためにベトナムを出国した。その際、子どもたちは号泣したが、チはその状況を受け入れるしかなかった。

当時、ベトナム人の子どもをアメリカ人家庭の養子として出国させる事業は上記のもの以外にも存在していた。そして、事業運営していた諸団体とアメリカ政府は、一九七五年三月から四月に「孤児空輸作戦（Operation Babylift）」を実施した。[4] 戦況が南ベトナムに不利であることが明白となっていったため、多くの人びとが欧米の基準では孤児ではない子どもたちを手放していった。家族や親族が世話を放棄したためではなく、子どもたちを南ベトナムよりも安全な場所に送り、そしてその後再会することを望んだ末の行動であった。チが子どもたちをアメリカへ送ったのは、夫が留学し出世することができたように、子どもたちを海外に送ることで、学ぶ機会を与えたいという希望の延長線上の行動であった。アメリカで学んだ方が子どもたちにとってより良い将来があると思ったからであった。チのような動機で子どもを手放した事例は少なくなかった。そのため、「孤児空輸」に関わった人びとのなかから、子どもたちの多くがいわゆる「孤児」ではないことに懸念の声が上がるまでに時間はかからなかった。[5] しかし、アメリカの養父母たちはそのような状況を十分に知らされてはいなかった。

「孤児空輸作戦」の第一号輸送機が離陸後すぐに墜落して多くの犠牲者を出したことにより、[6] 親類縁者からもチが子どもたちをアメリカに送ったことを批判された。さらに、チがお金のために子どもを手放したのではないのかという噂もあったという。そのこともあって、長男とベトナムに残ることとなったチは、五人の子どもたちを手放したことを後悔し混乱し体重も三五キログラムになる程痩せ細った。母が手放した子どもの状況もわからないまま、世間の批判に晒されていた一方で、一人取り残された長男は生活の変化について以下のように述べている。

正しかったのか間違っていたのか考えては、母は毎晩泣いていた。当時はただ彼らをアメリカに行かせたと僕は考えていたけれど、今自分の子どもをもって、その気持ちを理解することができる。子どもを行かせることはとても難しいことだ。母は、彼らの将来を考えて、正しいことをしたのか間違っていたのか考え続けていた。僕は母が毎晩泣いていたのを見ていた。僕にとっては、兄弟がいたのに一人ぼっちになってしまった。

母が自身の選択を悔やんでいたことを長男は知っていた。そして、彼自身も寂しがっていたがなんとか乗り切ろうとしていた。

チの苦悩には、戦後ベトナムの国際的孤立状況も影響を与えていた。一九七五年から一九七八年にかけて国外と連絡を取ることが非常に困難な状況であった。ベトナムの首都ハノイからフランスへ手紙を送ることはできたため、一九七五年夏頃、チはハノイの知り合いに依頼し、フランスの親戚に手紙を送り、その親戚からアメリカへ手紙を転送してもらう手配をすることができた。チは、サイゴンからハノイへ、ハノイからパリへ、そしてアメリカへというルートでしかアメリカにいる子どもたちへの連絡を取ることができなかった。チへの連絡もその逆ルートのみで可能であったため、手紙のやり取りに一年近くかかることもあったが、チにとっては手紙を介しての繋がりが唯一の命綱のようなものであった。

チが送った手紙は、チの子どもたちをサイゴンで預かったときにチと面識があった女性に辿り着くことができた。チの子どもたちはコロラド州を起点として別々の家族に引き取られたため、彼らがどの家族に養子縁組されたのかを彼女が知っていたことは、チにとっては不幸中の幸いであった。しかも彼女は、チの子どもを養子縁組した家族にチの手紙を転送してくれたのだった。そのうちの一つの家族は、ペンシルヴェニア州に引っ越すところであったため、もしも少しでも手紙の到着が遅れていれば消息不明となるところであった。奇遇な巡り合わせによって、チは子どもの行き先を把握することができてはいたが、五人の子どもたちは三州の三つの家族に引き取られバラバラになっていた。次男がある家族、三男四男が別の家族、そして姉妹がある家族へと養子縁組され、そして各家族が異なる州に暮らしていた。そのうえ、次男の養子縁組先住所については不明なままだった。

子どもたちが養子縁組によって各家庭の子どもとなったことは、連絡を取ることを想像以上に難しくした。彼らをアメリカへ送る際、チはベトナムの住所とフランスの親戚の住所を子どもたちの衣服に書き、子どもたちからの連絡を望んでいた。彼らも連絡先を把握してはいただろうが、ベトナムへ連絡を取ることは前述したように難しかった。さらに、次男の家族は次男とチが連絡を取ることを拒んでいた。一九七九年になって初めて、ベトナムの住所の記憶を頼りに友人の住所を借り、次男はチに手紙を送った。フランスの親戚を経由し、一九八二年になってベトナムに届いたその手紙で、養子縁組した家族がスイスに住むことになり、次男がスイスにいることをチは知ったのだった。養子先の意向で、チが次男へ送った手紙は届くことがなかったが、次男はその後送金するなど、長男の出国を資金面で助けることとなった。

戦後の苦しみとアメリカへの脱出

戦争終結後、旧南ベトナム政府および軍関係者は、思想教育を目的に再教育キャンプに収容された。当初は、長くても数週間の拘束と考えられていたが、数年間収容された人びとが多く、対象者の財産は差し押さえられ、その子どもたちの進学や就職などの機会も制限されることになった[7]。旧南ベトナム関係者への圧政を受け、養子縁組での出国ができなかった長男を出国させようとサイゴン陥落直後からチは色々画策した。例えば、長男に、ベトナム人だがフランスの市民権を持った知り合いのところに行くように提案した。彼らの息子たちが出国していることを知っていたため、そのうちの一人の出生証明書を長男が利用できれば出国できると考えたからであった。フランス大使館が出国者リストとその情報を把握していることから、長男の出国は実現しなかった。また、およその二年後に、ベトナム人妻と子どもたち五人の家族を持つフィリピン人男性と長男を、チは引き合わせ、長男に彼の子どもであるふりをさせ、パスポートや査証を得てベトナムから出国させようと試みたがそれもうまくいかなかった。おそらくこのような試みは、ボートで出国させるよりもより安全に子どもを出国させるとして、当時多くの人びとが試す方法の一つであったと言える[8]。

長男は、母親の手引きでの出国を少なくとも一〇回は試みた。うまくいくことはなかったが、チが「行け」と指示し長男が出国を試み、失敗して三日程度で帰宅するというような状況が続いた。当時チは、長男が家を出ること自体に対して取り立て悲しむこともないような心理的状況であった。その後、長男は高校三年生の時に出国を試み逮捕され、一年半投獄されてしまった。長男が釈放された頃には、ベトナム軍の兵役年齢に達していたため、徴兵を恐れたチは長男がベトナムから出国することをそれまで以上に強く望むようになった。彼女は長男が従軍することを、彼の人生の終わりだと悲観していた。長男の学業成績は良かったが、出国を試み投獄されたという経歴から高校を卒業しても大学への進学および将来も期待できないと判断し、長男に鍼灸を学ばせた。

一九八六年の四月に長男はカンボジアへ出国し、そこでさらなるルートを模索しコネを作ろうとした。カンボジアから隣国タイへ行き、そこからアメリカへ行くことを計画したのだった。鍼灸師などの仕事をしながらカンボジアに滞在している間に、現地女性と結婚し、首都プノンペンから海辺の町であるシアヌークビルへと夫婦で移動した。そして夫婦でタイへ出国するボートに乗り、一九八七年一一月にタイに到着した。ついにそこで難民として認定され、翌年五月フィリピンの難民キャンプへと移動し、その四か月半後アメリカへ夫婦で入国することができた。入国に関しては妹が保証人となってくれた。

そしてついに別れてから一三年後に、長男ハイは、テキサス州オースティンで兄妹と再会した。ハイは再会することができて嬉しかったが、彼らは長男と小さい頃に離別しアメリカで成長したため、別れていた年月に比例して経験や考え方など両者間に大きな隔たりが存在していた。別れた頃、妹（長女）はほぼ九歳、下の弟（三男）は七歳で幼かったが、再会したとき長男は二五歳、妹は二一歳、下の弟はもう二〇歳だった。その状況を長男は以下のように説明する。

　僕が彼らに会った時、僕にとって彼らは妹、弟だったが、彼らは僕のことをほとんど覚えてはおらず、彼らにとってみれば見知らぬ人のようだった。〔……〕ここアメリカで彼らは、兄妹や養育先の家族とともに成長し、僕の記憶や彼らに関連した記憶などなかった。僕は彼らのことを覚えていたから、ショックを受けたけれど、彼らは僕を見知らぬ人のように扱ったんだ。当時僕はとても悲しかった。〔……〕彼らは成長し、違う言語を話していた。再会したとき、僕の英語は彼らとコミュニケーションし気持ちを表現するには十分ではなかったから、大変だったしうまくいかなかった。うまくいくようにしたかったけれどうまくいかなかった。一年間、弟と二人で同じ家で生活し、妹は旅をしてベトナムに行き、母に会った。弟と暮らしたことは大きな助けになって、その一年で関係性を構築することができた。そこからベトナムでの古い思い出を思い出せるように努力したけれど大変だった。

弟（三男）とは共同生活によって関係性を取り戻すことができたが、次女とは関係性を構築することはできなかった。別れた時、彼女は四歳くらいで、ベトナムでの記憶がほぼ全くなかったからだ。長男が再会した際、彼女に妹であることを期待することはできなかったが、それ以後も妹としての役割を期待することはできないという。

このようにして長男は、アメリカ文化がベトナム文化と大きく異なることを学んだ。例えば、三男には「ここはアメリカなんだから、年上だからといって尊敬されると考えないで欲しい。尊敬を得るようにしないとならない」と言われた経験があるという。ベトナム人の兄妹関係において長子であることは常に尊敬に値するはずである。しかし、そのような尊敬を獲得されるべきものであると考える弟が存在することが、長男にとって大きな失望をもたらしたことは想像に難くない。

長男は、しかしながら、そうした失望を自らの生活再建に活かすための努力を怠らなかった。アメリカに移住した際、長男はすでに二五歳であったが、ファストフード店などで働きながら、高校卒業資格を取得し、コミュニティカレッジでエンジニアになることを目指し学んだ。その過程で職業の安定性などを考え、医者になることを志してテキサス大学オースティン校に入学したが、三男がその当時医科大学三年生で、その彼でも医療用語に言葉の壁を感じていることを知り、医者になることを断念した。そして、学士を取得した後、弟の助言もあり、歯科大学に入学することを選択した。志望理由書では、渡米するまで医療設備が整わない難民キャンプで抜歯を行ったボランティア経験をアピールすることができた。その後、歯科大学を無事に卒業し、叔父が住んでいたワシントン州シアトルに引っ越し、三か月ほど歯科医として勤務した後に、一九九八年一月に自身の歯科医院を開院することができた。

チの渡米と子どもたちとの再会

長男が出国したことにともなって、チは一人暮らしとなったが、すでにアメリカに行ってしまった子どもたちは、別の家庭の子どもとなっていたため彼女を母として、その身元引受人となりベトナムから出国させることはできなかった。ベトナムに一人とどまっていた、一九八六年にチは、元南ベトナム軍兵士で再教育キャンプに八年間収容されていたが解放され、アメリカに移住する予定の人物と隣人の紹介で知り合った。彼の妻は、彼が再教育キャンプに収監されている間に別の人物と再婚していた。再教育キャンプから解放された彼は、その妻と離婚し、再教育キャンプ収容経験がある人びとが優先的にアメリカに入国できる人道的配慮プログラム（Humanitarian Operations Program）に応募し、アメリカへの入国査証も入手していた。[(9)] チは彼と結婚することで、アメリカの入国査証を入手することができた。彼には六人子どもがおり、夫とその子どもたちと一緒に、一九九〇年七月に渡米した。

渡米後チは、夫と彼の子どもたちとテキサス州で暮らし始めた。そしてチの実の子どもたち三人もテキサス州で暮らしていたため再会が叶った。しかしその際チは、アメリカに到着してまだ日も浅く英語を話すことができず、長男以外の子どもたちはベトナム語を話すこともできず、お互いに気持ちを伝えあうことが不可能であった。そのためチも子どもたちも泣くことしかできなかった。

チと子どもたちとの再会は、容易には修復できない家族関係の複雑さを示している。十五年以上の年月が過ぎるなかで彼らは成長し、大学に行ったり仕事をしたり、大きな変化があった。彼らのうち五人は、養子先の子どもとなり、親子関係を築くには手遅れであった。彼女はその心境を以下のように語っている。「私にとっては彼らに輝かしい未来を得てほしいと思ったのだから、アメリカに来て彼らに素晴らしい未来があることはとても嬉しかった。でも、家族の愛という点からは、とても寂しい。私は本当に多くを失ったから」。

多くを失ったとは、成長過程を見守ることができなかったこと、そして彼らのうち五人が異なる家庭の他人の子どもとなってしまったことであろう。五人とも、養子先の名前を名乗り、養子先の正式な子どもとなっていた。それは長男が他の兄妹と心が通わないというのとも共通している。夫の死と戦争のために、子どもがより良い人生を過ごすために手放すことを選択したチの決断は、親子と兄妹の別離をもたらした。文化的に大きく異なる環境で家族が離散することによって、意思疎通もままならない家族が存在することとなったのである。子どもたちの人生を最優先に考えたためにチは、本来望んでいたような母親としての役割を果たせないまま、子どもたちと再会することとなった。

チが養子縁組を選択せざるをえなかった状況を完全に理解することは、五人の子どもたちにも難しいことであろう。ベトナムでの記憶が少なければ少ないほど、チの選択は不可解だろう。手放された子どもたちは、実の親に手放されたという事実と向き合い、養子先家族との関係を構築する主体的役割を担ってきた。そのため、彼らには彼らの側の苦労と努力が存在している。

母と長男の関係は、五人の兄弟との関係とは異なり、より密なものとなっていった。一九九七年に長男がシアトルに引っ越した際に、チは夫と二人で同じ町へ引っ越し、長男の子どもたちを世話しながら、一人でケーキ店を切り盛りした。その後、夫の暴言に耐えかねたチは、二〇〇一年に夫と協議離婚した。そして二〇〇六年には、気候が気に入り女学校時代の友人も多い、カリフォルニア州へ引っ越した。[10] その後、チの暮らしに長男家族も合流し、カリフォルニア州で暮らしている。長男はアメリカで三人の子どもを授かり、また母親とも暮らせていることで心の平穏を取り戻すことができたという。長男は、母親と離れて暮らすことが考えられず、妻と自身の子どもたち三人が母親のそばで暮らすことができていることは恵まれていると思っている。「僕の人生に母がいることは救いなんだ」と。

第四部　人の意識が変わるとき／かかわりが変える世界観

価値観の分断線がゆらぐとき

――ニューヨークのデパート女性従業員と女性覆面調査員（一九一三年）

兼子　歩

デパートは性道徳が乱れる場？

アメリカでは一九世紀半ばに登場しはじめたデパートメントストア（デパート、百貨店）は、今日では電子商取引に押されているが[1]、二〇世紀初頭には小売業の花形であった。広告戦略に力を入れ、壮麗な建築と華やかな内装、多岐にわたる膨大な数の商品を客が直接見て手に取れるような展示の仕方、商品の配送から休憩室や喫茶店などにいたるさまざまなサービスの提供、そして見物のみの客をも広く歓迎することによって、デパートは都市のなかの最も魅力的な空間として人気を博していた[2]。

だが、新しい業態は、社会との摩擦も引き起こした。デパートは、当時の新しい娯楽施設として登場したダンスホールなどとともに[3]、この時期に道徳の乱れの元凶であると槍玉に挙げられるようになった施設だった。まず、手に取れるように展示されている豊富で多様な商品に、中産階級の女性客が魅了され、万引きをするようになっているという懸念が広まった[4]。また、デパートは主に労働者階級家庭出身の女性を販売担当者として多数雇用していたが[5]、彼女たちが職場で男性客や男性上司と頻繁に接触することで性道徳が堕落し、売春婦になっているのではないか、という批判が根強く存在した。性売買問題に取り組む民間組織「社会衛生局」は一九一二年に、シカゴ市悪徳調査委員会の調査活動部門の責任者ジョージ・ニーランドにニューヨークの性売買問題の調査を委託し、その調査結果が一九一三年五月に報告書として刊行された。この報告書はデパートを、「虚栄心が強く不幸で感情的な若い女性」を性売買の犠牲者とすべく、男性客だけでなく「特定の主任、男性販売員、バイヤー、マネージャー、現場管理者、ときには経営者までもが、彼らの指示のもとにある弱く屈しやすい若い女性たちを常時誘惑する」

空間であると非難した。(6)

ニューヨークを代表するデパートの一つ「メイシーズ」の共同経営者パーシー・ストラウスは、この報告書に憤慨した。彼は汚名を晴らすために、性売買問題を調査し警察当局による取り締まりに協力する民間組織「十四人委員会」に、メイシーズで働く女性従業員への調査を依頼した。(7)

しかしなぜ、この時期にデパートが槍玉に挙げられたのだろうか。

「他者」の世界に潜入して調査する人びと

アメリカでは一九世紀末近くになるに従って工業化の急速な進展や都市化、移民の増加、女性の社会進出の拡大など、社会の大きな変容を経験した。これにともなって、二〇世紀転換期には社会の道徳や秩序が「危機」にあると騒がれるようになった。そうした争点の一つが、性売買が深刻化しているという議論であった。特に一九一〇年代初頭には、若い白人女性が組織的な人身売買によって売春を強制されているというパニックまで生じた(この問題は「白人奴隷制」と呼ばれた)。実際には文字通りの人身売買は少数であったが、アメリカの世論のあいだに、社会の変容とともに売買春が深刻化しているという認識が広まっていたことは確かである。(8)こうした文脈において、デパートは客にも従業員にも女性が多く、また女性従業員が客や上司の男性と接触する機会が多い空間であることから、若い女性の性道徳が「堕落」する場ではないかと疑われたのである。

こうした性売買をめぐる論調を背景に、全米の都市部で社会道徳の改革を目指す民間組織と地方政府が協力して売春を社会問題として調査・報告し、これに基づいて公権力が取り締まりを強める動きが盛んになった。一九〇五年にニューヨークで発足した十四人委員会も、そうした組織の一つである。[9] そしてこれらの道徳改革組織が性売買をはじめとする社会問題を調査するために導入した手法が覆面調査であった。一般客のふりをした調査員がサルーン（酒場）やダンスホールやデパートなどの施設に潜入し、内部の実態を密かに観察して報告するという手法である。[10] こうした調査員を派遣する団体や、調査の対象になった都市労働者階級の女性たちに関しては、多くの研究がなされてきた。[11]

だが、実際に派遣されて現場に潜入した調査員は、一体何を見て、どう感じていたのだろうか。彼ら彼女らは、調査する側とされる側という、異なる規範や価値観が摩擦を起こしうる場で活動した人々である。ある意味では、異文化の接触を経験した人びとでもあった。そこで本章では、十四人委員会がメイシーズに派遣した三名の覆面調査員のうち、フェイス・ハバートンという女性を取り上げる。彼女は十四人委員会が公開した最終報告書によると「若く、高潔な人格の女性」で、教職の経験があり、社会福祉団体の関係者として複数のデパートで活動した経験も有していた。[12] つまり、彼女は中産階級的な白人女性であった。

ハバートンが七月から一一月にかけて委員会に提出した報告書とメモからは、彼女がデパートの販売員たちの世界に参入することで何を経験したのか、そしてその結果、彼女のアイデンティティや価値観はどのように変容したのか（あるいはしなかったのか）が、浮かび上がってくる。

デパートで働く「私たち」

ハバートンは紹介状を携えて、一九一三年七月二日にメイシーズの人事部を訪れた。ロッカールームを教えてもらい、従業員福利厚生用のリクリエーション室で研修を受けた。学校教師経験者としての彼女にとっては、研修は「とても満足できるものではなかった」。その日の昼下がり、彼女はまず絵画売り場に配属されて勤務を開始した。この売り場は暇で、同僚の女性販売員には「あまり熱心に働かないよう」促された[13]。

勤め始めると、売り場の女性従業員が常に上司たち（男性が多いが、女性もいた）に行動を監視されていることに、ハバートンは苛立った。七月七日の報告書にはこう書かれている。客の応対をしていない時でも「勤務中の女性を立たせ続けるという慣行は最悪で、正気の雇用主が従業員にこんなエネルギーの無駄遣いをさせ続けたがるとは信じられない」。特に彼女の売り場の男性主任が「怒りっぽく、また過剰に批判的」であることで、自分のような初心者にとって「仕事が許容しがたいもの」になっていると、ハバートンは不満を記した[14]。

主任などの現場の上司に行動を監視され、ふるまいに疑いのまなざしを向けられていることは、他の女性従業員の不満の種にもなっていた。七月二一日の報告書によると、この日「主任とフロア監督は突然、私たちが気になったようである」。同僚の女性たちによれば、どうやら客からのクレームがあったようである。

主任は、私が手洗いへ向かったのに気づき、そして私が自分の番号と時間を〔記録用紙に〕記入しなかったのを見ていた。私が戻ってくると、彼女は私にそっと近づいてきた。それを他のみんなはジョークだと思った。彼女たちはみな、普通はフロアを離れるときにそのことを記録したりはしないものだということで、意見が一致していた。

アイケン氏〔売り場の監督〕は、憂鬱そうに私たちを見ながら立っていた。そして彼が眼差しを向けても、もちろん何も起きなかった。彼が立ち去るとすぐに、私たちは彼のフクロウのような姿について、含み笑いをして「アイケンに何があったのかな」などと思った(15)。

ハバートンは、この日は「私たちの売り場での、とても陽気で不真面目な日!」であったと述べている。行動をくまなく監視し管理しようとする上司たちを影で批判するという行為は一種の楽しみとなり、彼女にとって他の従業員とのあいだに「私たち」という共通感覚を抱く瞬間であったのかもしれない。

ハバートンは八月に絵画売り場から写真を扱う売り場（「コダック部門」）へと転属になったが(16)、九月下旬には、彼女は管理職側が女性販売員を勤務中に立ちっぱなしにさせることに再び不満を抱き、この売り場の他の女性同僚とともに会社の方針を批判する。「なぜ会社は、無意味に私たちを立たせて、体力を浪費させておくのだろうか」。そして売り場から椅子が撤去された。修理のためという名目だったが「誰も信じはしなかった」。女性販売員が座っていると、バイヤーがすぐに何らかの作業を与えてくるが、「それはしばしば非合理な作業だった」。ハバートンはこうした指示について他の女性従業員と議論を交わし、「きっとバイヤーが、私たちが座りすぎていると思ったからに違いないと、意見が一致した(17)」。

共通の「敵」を批判して仲間意識を抱く感覚は、上司に対してだけでなく、厄介な客に対応する時にも起こった。あるときハバートンは、帰宅時間になっても、遅くまで残っていた女性客の相手をさせられた。「他のみんなが、彼女に対して自分が歓迎されざる存在だとわからせようと、いろいろなやり方をするのを見聞きするのは愉快だった。この売り場で、私たちは客が帰った後で客たちについて話すが、いつも最大限の軽蔑をこめて話す」[18]。自分たちの時間の使い方の自律性を侵害する存在に対する反感は、売り場の女性たちのあいだの「私たち」という連帯感を強めていた。そして（偽りの姿とはいえ）同じ従業員として勤務していたハバートンも、その感覚を共有するところがあったようである。

メイシーズの売り場に立つハバートンは、本当の目的が従業員や職場環境の性道徳の調査であったとしても、販売員として覆面調査をしていたため、売り場では客や上司から従業員として扱われる。少なくとも販売員の役割を遂行しているあいだは、彼女は女性販売員としてのアイデンティティを他の従業員と共有していたようである。

道徳観の違いをめぐる緊張

とはいえ、ハバートンは他の女性従業員たちと完全に同一化したわけではない。彼女は中産階級出身の調査員として、販売員としての業務中にも他の女性従業員の性的な価値観とふるまいを観察し続けた。また彼女は、観察対象である女性たちと自分とのあいだには、階級の違いにともなって教養や品位の優劣による断絶があるという自意識も有していた。

新しい売り場に移ってからは、ハバートンは自分が他の女性同僚からどう認識されているかについて、幾度も報告書に記している。九月二六日の報告書によると、彼女は「ひったくり屋（grabber）」、つまり「他の販売員の客を奪う人」ではないとみなされ、「非常に親しみをもって遇された」。また、彼女は売り上げが少ないため、周囲から「哀れみをもって接せられている」とも感じた[19]。女性販売員の間では、売り上げが少ない者は見下されるが、自分の売上のために他の販売員の常連客を奪うことを通じて売り場に過剰な販売員間の競争を起こすことはタブーであった。[20]ハバートンは売り上げが少なかったが、焦って他の従業員の客を奪う行為には走らなかったので、他の女性従業員にとっては「私たち」という仲間の枠内におさまる存在だったのだろう。そして、この報告文には続きがある。

〔私はまた、他の従業員から〕敬意をもって接せられた。それは、私が「立派に喋り」そして「距離を置いて考え、愛らしく微笑む」からだそうだ。私の話し方が立派だというのは、私にとっては謎である。というのも、私は客に対する軽蔑を〔他の従業員と〕共有し、どんな知性の劣った人に対しても話すように話すからだ。おそらく、私の単純極まりない話し方には一定の正確さがあるからだが、しかし、私は売り子の女の子がその違いに気づくとは決して思ってはいなかったのだ。[21]

ハバートンは教育や教養において自分より劣るとみなしていた同僚女性たちに対して、同じレベルの教養水準の仲間だと思われるようにふるまっていたつもりだが、見破られたようだとわかって驚きを隠せない。

翌月に、彼女は同じような「失敗」を犯している。彼女自身の記録によれば、「一九一三年の道徳問題」について何度か「教育と教養のある女性として話すように」論じてしまった。聞き手の同僚女性たちは「ショックを受けたというような驚き」の表情をして、「まあ、じゃあ貴方は結婚しているのね」「あら、貴方はきっと看護婦になるための勉強をしたに違いないわ」と答えたという。[22]議論の詳細は史料からはわからないが、他の女性従業員たちの道徳観に対して批判的だと取れる発言（既婚女性のような立場からの発言ということから、独身の同僚女性たちの異性関係に言及したこと、「看護婦」志望者のようだという表現から、中産階級的な貞節を強調する発言だったことは推測される）が、ハバートンの中産階級的アイデンティティから無意識のうちに飛び出してしまったようである。

以上のような記述から、ハバートンが労働者階級出身の他の女性販売員を、中産階級的な性的慎みや品位を欠いた人びとであり、その点において自分（の属する階級）よりも劣った女性たちだとみなしていたことはうかがえる。

だが、そうした認識はハバートンの固定的で絶対的なアイデンティティの基盤であり続けるとは限らなかった。彼女は同時に、同僚女性の観察を通じて、自己の認識枠組みが揺らぐ経験もしているのである。

劣った「他者」、という認識が揺らぐとき

ハバートンは、中産階級の性道徳の指標のみを用いて同僚たちの価値観を測ることは非建設的かもしれないとも感じはじめる。同じ時期の報告書には、（具体的な内容までは不明だが）同僚女性たちの性的な話題をめぐる会話についての観察が記されている。ハバートンによれば、彼女たちの会話は、男性のいないところでの女同士の会話であり、既婚女性もいたために「粗野」であり、「品位という点から言えば反逆的なものであった」という。だが、

卑猥な言葉を使う既婚女性たちは、多くの女の子たちに、彼女らの母親がきちんと教えてくれないような、極めて健全なアドバイスもしている。〔……〕どの女性も、適切な言動とは何かというこ

とについての特有の感覚があり、どこかで「線を引く」。しかし彼女たちは、好みが異なっていても、平和的な関係のために、お互いに耳を傾ける(23)。

つまりハバートンは、同僚の女性販売員たちが、中産階級とは異なる基準ではあるが品位を重んじる意識があり、しかもそれぞれの基準の違いを頭ごなしに否定しないという知恵を発揮していることに気づいたようである。

一〇月のある日、ハバートンは自分自身の異性との交友について知られることによって、同僚たちの話題の中心になった。このとき彼女は、「訳知り顔の女の子たち」、つまりは（彼女の基準からすれば）性的な慎みを欠いた発言の多い同僚女性たちも、「女の子らしさを失ったわけではなかった」のだと気づく。適切に品位を守っている《リスペクタビリティ》状態がどういうことかという理解、あるいはあるべき性道徳に関する観念が出身階級によって違っていても、恋愛に関する興味のあり方では根本的な違いはないという発見である。

> 彼女たちは私が地元の夜のパーティに行くと知り、私は注目の的になった。翌日、彼女たちは私のところに駆け寄ってきて、どんな男が私を家まで送ったか知ろうとした。ある女の子は「夕べ楽しんだみたいだから、きっと理想の男に違いないと思うわ」と言った。私が、まさに理想的男性だったと言うと、結婚は若いうちにすべきだと信じている女の子が、「素晴らしいわ」と叫んで、午後のあいだ、何度も私を抱きしめた。彼女は本当に、私のことについて感傷的になっていた。別の子は、鋭く「ねえ、貴方が彼を送らせたの、それとも彼が貴方を送ったの?」と聞いてきたので、私はすぐに、

彼に完全に自由にさせた〔つまり要求したのではなく彼から自発的に申し出た〕のだと言った。すると彼女も「素晴らしいわ」と言い、私を感嘆と喜びの目で見た[24]。

ハバートンが他の女性従業員達と恋愛をめぐる会話を楽しんでいるときは、一時的にではあれ、階級格差や性道徳観の違いなどを超える「女同士の絆」を経験しているかのようであった。

「他者」との「違い」の意味を再考する

こうした経験によって、ハバートンに、階級による性道徳や品位の観念の違いが根本的な断絶だと考えることも、中産階級的なジェンダー規範を絶対的な優劣の指標とすることも、必ずしも現実的ではないと感じたのかもしれない。また、女性としての共通感覚の発見により、彼女は階級による境界線を相対化する視点に気づいたのかもしれない。ハバートンは、タイプ打ちして十四人委員会に提出した定期的な報告書のほかに、メイシーズでの参与観察の経験を考察した自省的な手書きのメモを残している。日付はわからないが、内容からは、調査期間の終わりの段階で記したものと推測される。彼女はこう記している。

私は自分の親や私の階級の趣味ゆえに、〔デパートの他の女性従業員たちに対して〕非寛容なのかもしれない。しかし、私の友人たちもまた、よりよい環境の出身であった。私のこの弱点に照らして、考えられなければならない。私は平均的な販売員たちよりもよい食事をし、よい服装をして、よい環境にいた。少なくとも健全で無害な種類の多くの楽しみがあり、私は収入に関して心配すべき理由がない。そして私は当然ながら、〔自分より〕若い女性よりも精神的な均衡があり、自己抑制ができる。

私は、技能を持たない、幾年も不快な仕事をすることがわかっている勤労女性たちが、そうした苦役から逃れるために最も頽廃的な道をとるとしても、驚かない。この状況に関して私が耳にした最も秀逸な言葉は、「どうして売り子は道を誤るのか、ですって？不思議なのは、どうしてもっと多くの売り子が道を誤ることにならないのかってこと」というものであった(25)。

ハバートンは依然として、性道徳観に優劣があるという前提を捨てたわけではない。だが彼女は、女性は自分の性に関する規範意識が、偶然自分が置かれた階級的状況が可能にするものだったのではないかと感じはじめていた。また、性道徳や品位の観念の違いが、異なる階級の女性を本質的に異なる存在とするわけではないとも感じたようである。そして、労働者階級女性たちは性的品行という観念が欠落しているのではなく、品行に関して中産階級とは異なるが独自の基準を持ち、その境界線を巧みに守っていることにも気づいたのである。

委員会は一九一五年に最終報告書を発表したが、そこではこうしたハバートンの観察、ひいては自己の認識の仕方に対する彼女の省察は、十四人委員会によって断片的に言及される。そして、メイシーズの職場は従業員女性の性的「頽廃」の原因ではなく同社に責任はないという、調査の依頼主である同社にとって好都合な結論が示された。最終報告書は、メイシーズの「全般的状況は正常であり」、立たされ続けるなどの仕事上のストレスも「〔デパート〕外部での関係において道徳的危険を引き起こす」ものであり、真の問題は職場外での人間関係にあると述べる。「程度の低い会話や議論がなされていることは疑いない。だがそれはデパートに特有とは言えず、むしろ従業員の出身階級によく見られる状態であり、店舗よりも家庭や学校で触れられるべき問題である」と結論づけられた(26)。

十四人委員会の最終報告書は、性売買の深刻化が事実であると仮定したうえで、原因を女性の道徳的「堕落」に求め、その「堕落」の元凶となる空間を確定しようとする、この団体の基本的姿勢が揺らいでいないことを示している。だが現場において、ある階層に属する女性たちを道徳的に「堕落」した「他者」とみなし、彼女たちの世界に潜入してその世界を垣間見た女性のなかには、限定的であるがその枠組み自体を疑う契機を経験した者もいた。「他者」を改革しようとする運動は、それを認めようと認めまいと、つねに改革対象との接触を通じて変容する可能性をはらんでいるのではないだろうか。

誰のためのフェミニズムか

——福祉権活動家ジョニー・ティルモンと歴史家シャーナ・バーガー・グラック

土屋和代

私は女性です。黒人女性です。貧しい女性です。太った女性です。中年女性です。そして福祉手当を受給しています。この国でこれらのことに一つでもあてはまれば——貧乏で、黒人で、女性で、中年で、福祉受給者である——人間として価値ある存在だとはみなされにくいのです。すべてにあてはまっていたら、まったく人間としてはみなされないでしょう、統計以外では。私は統計上の一つの数字なのです。(1)

ジョニー・ティルモンのエッセイ「福祉は女性に関わる問題である」は一九七二年に雑誌『ミズ』創刊号に掲載された。ティルモンは、ロスアンジェルスのワッツ地区出身で六人の子どもを育てていた黒人のシングルマザーである。彼女は貧窮状態にあるシングルマザーとその子どもたちへの公的扶助プログラムである、要扶養児童家族手当（ＡＦＤＣ）の受給者を束ねて活動を行った全米福祉権団体（ＮＷＲＯ）の議長を務めた。一九六六年六月末、全米二五以上の都市で六〇〇〇人以上の受給者が「福祉権」を掲げてデモ行進を行なった。このデモ行進をきっかけとし、翌年夏に「十分な収入」、「尊厳」、「正義」、「民主主義」の四原則を掲げて結成されたのがＮＷＲＯである。ＮＷＲＯはそれまで慈善とみなされてきた福祉を権利として位置づけなおすことを目指し、一九七五年三月まで活動を行なったが、その運動を最前線で担ったのが彼女だった。(2)

ここでは、カリフォルニア州立大学ロングビーチ校（ＣＳＵＬＢ）図書館に保管されているティルモンのオーラル・ヒストリーに注目する。(3)聞き手のシャーナ・バーガー・グラックは、ＣＳＵＬＢでオーラル・ヒストリーの授業を担当していたユダヤ系の女性史研究者であり、主著に『リベットエロージー―女性、戦争、社会変革』など、共編著に『女性のことば―フェミニストが実践するオーラル・ヒストリー』がある。[4]

オーラル・ヒストリーは、不均衡な権力関係のなかで情報提供者《インフォーマント》と研究者が「出会う」場であり、両者の主体が構成されていく場でもある。研究者側の問いの立て方、聞き方、情報提供者《インフォーマント》との関係によって、情報提供者《インフォーマント》が語る内容は変わり、「過去」のある側面が強調されたり、逆に曖昧にされる。研究者の側もただ問いかけるだけでなく、情報提供者《インフォーマント》から学び、自己の認識を「反芻・更新」する。[5] こうした「接触」に注意を払いつつ、ティルモンの〈ブラック・フェミニズム〉がどのような思想的広がりを持っていたのか、そしてグラックの意識を揺さぶり、「第二派」と呼ばれる女性解放運動の歴史に再考を迫るものであったのかを探りたい。

ティルモンは一九二六年四月一〇日、アーカンソー州スコットでジョニー・リー・パーシーとして生まれた。一九四六年に結婚するものの夫と別居し、リトルロックで二三年間洗濯の仕事に就いた後、父親の死をきっかけに兄弟が住むカリフォルニアに移住した。ティルモンが住居を構えたのは、サウス・セントラルと呼ばれる黒人居住区のなかでも公営住宅が集中し、貧しい家族が暮らすワッツ地区であった。ワッツでシャツのアイロンがけをする仕事に就き、六人の子どもを育てていたが、一九六三年に身体を壊し、母子家庭向けの生活保護を受給するよう勧められる。当初は受給を躊躇するが、手当を得れば弟の家に預けている娘を引き取ることが出来るし、学校を休みがちの娘との時間も確保出来ると考え、決断した。[6]

福祉受給者となったティルモンが目の当たりにしたのは、受給者の家族に対するあからさまな侮蔑とプライバシーの侵害であった。それはたとえば、ケースワーカーが、突然真夜中にアパートを訪れ、洗濯籠のなかを探し、冷蔵庫をチェックし、懐中電灯を照らし、ベッドに経済的な支援を行なうパートナーがいないかをチェックするいわゆる「真夜中の一斉捜査」など、非常に屈辱的なものであった。ソーシャル・ワーカーが子どもを叩き起こして「お父さんはどこ?」と尋ねる、もし子どもの身なりがみすぼらしくなく、家が小綺麗な場合は何らかの「不正」が行われているはずだと疑う、といったことが日常的に行われていた。(7) ティルモンは、こうした行為について知り合いの母親たちが苦情を言うのを聞くうちに、「自分が何とかしなければ」との思いが募ったという。「これらの人々が助けを求めて走り回らないですむようにするのは、私の役割の一部なのではないか、と感じたのです。私の周りの女性達の経験、彼女達が直面する困難、例えば困った時に誰一人電話をかける相手すらいないこと、支援を求められる組織がないことを目の当たりにしたことがきっかけとなったのです(8)」。

公営住宅で子どもの見守りや植樹等のボランティア活動を行っていたティルモンは、そこで築いたネットワークをもとに、一九六三年八月八日に「貧困児童手当を受給する名のない母親たち」を結成した。「名のない母親たち」と名付けたのは、福祉受給者が非人間的な扱いをされ、「あたかもそこに存在せず、統計上の数字として扱われる」ことを示すためだったという(9)。

ティルモンは、公営住宅に住む母親たちと話をするなかで、受給者のほとんどが福祉よりも雇用訓練を受け仕事に就くことを望んでいることを知った。「働ける者には適切な仕事と十分な賃金を、働けない者には十分な福祉を(10)」。この言葉を旗印に掲げ、福祉費の増額だけではなく、仕事と生計を営むことが可能な賃金、及び家庭の外で働くことが困難な場合の社会保障の獲得を目指し、活動を行なった。

ティルモンは、貧困対策事業に関わる人びとの草の根レベルでの交流を促進するために首都ワシントンで開催された大会で、福祉受給者の組織化を進めようとしていたジョージ・ワイリーに出会った。ワイリーは一九三一年二月二六日ニュージャージー州ベイヨン生まれ、コーネル大学大学院で博士号を取得後、一九六〇年からシラキュース大学で教鞭を執っていた化学者である。一九六一年一一月に人種平等会議シラキュース支部を結成し、大学を去りフルタイムの活動家となってからはＡＦＤＣ受給者の権利擁護に注力し、一九六六年四月に首都ワシントンで貧困権利活動センターを設立した。同年六月末、このセンターの指揮の下で前述のデモ行進が行なわれた。この行進をきっかけとし、黒人ミドルクラス男性のワイリーが事務局長を務め、白人ミドルクラスの活動家がスタッフとして参加しワイリーを支え、ＡＦＤＣ受給者の母親たちが指揮をとるＮＷＲＯが結成された。ティルモンは一九六七年八月にはＮＷＲＯの初代議長に選出され、事務局長を務めるワイリーとともに福祉権運動の中核を担いながら、運動を推し進めていくことになった[11]。

「母の日の抗議大行進」（1968 年 5 月 12 日）演説するJ・ティルモン（中央）、G・ワイリー（左下）とともに。出典：Image #8771, Wisconsin Historical Society

ティルモンをはじめとするＮＷＲＯの母親は、衣食住という日々の生活の場で自らと子どもたちの生存権を求めて闘った。母親たちが訴えたのは次の二点である。まずＡＦＤＣ受給者は「福祉に依存する」「怠惰な」母親ではなく、次世代のアメリカ市民を生み、育むという極めて重要な労働に従事していること。それゆえに社会保障を得るのは当然の「権利」であり、育児・家事労働を含むかたちで「労働」の概念自体を再構築する必要があると主張した。二つ目に、「就労奨励プログラム」を含む一九六七年の社会保障法改正案やR・ニクソン大統領の下で発案された「家族支援計画」（児童を扶養する全ての家族に年間一六〇〇ドル（四人家族の場合）を給付する計画）は、福祉受給者を低賃金労働に振り分け、受給者のさらなる貧困化を推し進めるものであること。アメリカの福祉国家に通底する、「働かざる者市民たりえず」という思想に挑み、そのオルタナティヴとして、全ての家庭／個人が「まともな」生活を送れるだけの所得を国家が保証する「保証所得」を最終目標として掲げたのである。⑫

一連のインタビューは、グラックが、情報提供者《インフォーマント》のティルモンに対し「女性解放運動についてどう感じていたのか」を問うところから始まる。ティルモンは、福祉権運動は女性のための運動だったが、自分たちは「女性の状況について問題にしていたというよりも、明日どう生き延びるかを問題にしていた」と語った。⑬

グラックはこのこたえに納得がいかなかったのだろうか。一九九一年四月のインタビューでは、男性のスタッフは「男は仕事、女は福祉」と考えていたのではないか、そのことで男性スタッフと女性受給者の間に「確執」があったのではないかと質問した。これに対し、ティルモンは「私は確執という言葉は用いません。それは『女性対男性』、『白人対黒人』というものではなかったのです」と返答した。⑭

グラックはこの後、男性のスタッフがNWROを運営しており、そのことへの不満が女性受給者のあいだで燻っていたのではないか、と再度尋ねた。これに対してティルモンは「前にも伝えたように、女性対男性という状況にはなかった」とし、重要だったのは「受給者対既得権益層《エスタブリッシュメント》という対立軸」であり、

「既得権益層《エスタブリッシュメント》側の受給者に対する態度であった」と答えている。[15]

ティルモンは「人種間の対立」を強調する言説からも距離を取る。従来、NWRO内におけるブラック・ナショナリズムの高揚によって、白人のスタッフが追放され、スタッフを取りまとめていたワイリーも最終的に組織を追われたと指摘されてきた。実際、出版部門を統括していた黒人のジョン・ルイスは「本部では専門家が受給者に対して上から目線で、往々にして人種差別的な態度を取っている」とワイリー率いる白人ミドルクラスのスタッフを痛烈に批判した。しかしティルモンは、「ルイスのような黒人たちは組織のために大して働いていたわけではない」と一蹴する。ティルモンがむしろ語るのは、ケンタッキー州出身の少女から声をかけられた際、白人の受給者も貧困に苦しめられていることを知った、という経験である。この少女は「お腹がすくとどんな気持ちになるか」を教えてくれたという。「私もお腹がすいている時は同じ気持ちです[16]」。

グラックの矛先は、男性のスタッフを取り仕切っていたワイリーに向かう。ワイリーは女性が福祉を得て家にとどまることを目指しており、女性の働く権利には関心を抱いていなかったのではないか。この質問に対するティルモンの応答は曖昧さを含んでいる。ティルモンによれば、ワイリーは女性が家庭の外で働くのではなく、「もっと手当をもらえるべきだ」と考えており、「このことをめぐって意見が一致しなかったこともあった」という。ティルモンは「必要なものを得られるまで、よりよい生活ができるまで」一定期間のみ福祉を利用するものだと考えており、実際多くの女性がそのように手当を一時的に受給する姿を目にしてきた。しかしワイリーは、貧しい人びとが必要時に手当を受給できるかどうかが重要であり、その際に「人間らしく扱われるべきだ」と考えていたという。[17]

「この点について、彼とのあいだに対立がありましたか」という問いに対して、ティルモンは「〔対立ではなく〕話をしていただけです、今あなたと話しているように」とかえした。(18) 福祉の位置づけについて、ワイリーとのあいだに考え方の相違があったことをティルモンは否定しない。しかしそのことで「対立」していたわけではない、「対話」をしていたのだ、と語る。「ジョージとの間に何か問題が生じたときは、隠し事をせず、話し合いをしてきた」のだと。(19)

ティルモンはワイリーについて次のように語る。「ジョージは学があるからといって、それを振りかざして、人びとをむち打つようなことはしませんでした。ジョージのような人物を私は他に知りません」(20)。「組織には、潜入する人も、扇動する人も、ありとあらゆる人がいます。自分が信じた人への信頼を貫くには自分自身が強くなければなりません。私はジョージを信じていました。執行部の女性たちのなかには他にもジョージを信じている人びとがいたのです」(21)。

ティルモンの言葉にはワイリーに対する揺るぎない信頼感と尊敬の念が滲み出るかのようだ。六年半以上にわたって行動をともにし、福祉権運動を担ったワイリーのことをティルモンはどのように考えていたのだろうか。一九七二年末に辞任するまで、ワイリーは事務局長としてNWROの運営を支え、その後は、働く貧困層《ワーキング・プア》や高齢者、黒人貧困層のための組織「経済的正義のための運動」を結成した。しかし七三年八月六日、チェサピーク湾でのボート事故により享年四二歳でこの世を去った。ワイリーについてティルモンが語るとき、福祉権運動に身を捧げつつ、若くして道半ばでこの世を去ったワイリーを偲ぶ想いと、その同志であるワイリーを「性差別主義者」と決めつける質問にはきっぱりノーと言う、ティルモンの姿が見え隠れしないだろうか。

むしろティルモンが議論の俎上に載せ、聞き手のグラックに再考を迫るのは、中産階級中心の女性解放運動のあり方である。「福祉は女性に関わる問題である」というエッセイを書いたことで、ティルモンが「誰がみてもフェミニストだと思うような、非常に明確な宣言」を行ったのではないか、とグラックはコメントした。これに対しティルモンは、自分自身は「レッテル」を貼ることに関心はないと述べ、次のように語る。

女性解放運動は、ブラジャーをつけたくないとか、ガードルをつけたくないとか、男性がドアを開けるとか、そういった類のことを問題にしていましたが、そのことに私たちの関心は向いていませんでした。私たちが注意を向けていたのは、家にドアがあるのか、ブラジャーやパンツを買うお金があるのかという、生き延びるための事柄だったのです。(22)

「子どもの世話もしなければならなかったし、そこには常に闘いがあった」のだという。ここには、受給者の女性たちが置かれた困難に満ちた状況に想像力を働かせることなく、同じ「フェミニスト」として括る人びとへの違和感が滲み出ていないだろうか。

ティルモンは福祉権運動におけるワイリーの役割と自分自身の位置づけについては次のように分析する。ワイリーはNWROの資金調達役であり、「彼に異議を唱える人びとは、彼のように資金を獲得する力が無かった」のだと。「この点を理解しなければなりません。資金を提供している人びとは受給者にお金を渡していたのではありません。ジョージに渡していたのです。そして、ジョージは、資金を持っている人びとにノーと言わせませんでした」[23]。このことは執行部の女性たちも理解しており、彼女たちはワイリーとのあいだに「多くの問題を抱えていたわけではなかった」のだと[24]。

自分は「福祉権を支持する人」であり、自らを「指導者」と呼んだことはないという[25]。自分が議長を務めたのは「受給者を組織した経験があったから」であって、「専門知識」があったわけではない――ただ「今まで行われてきたやり方にうんざりしていた」からだ。自分は「仲裁役」としての役回りを果たしたが、その理由は「個人同士の諍い」で行き詰る時間などなかったからだ[26]。

実のところ、ティルモンはこうした「個人同士の諍い」にばかり質問が集中することに対して、多少の不満を感じていたのかもしれない。意見の相違（しかし「対立」ではない）はあったとしても、一番の問題はそこにあるのではない――この主張が聞き手のグラックに伝わらないことこそが問題であったのかもしれない。

白人ミドルクラス男性を主とするスタッフと、貧しい黒人女性を主とする受給者のあいだにはたしかに軋轢があり、最終的にはワイリーとワイリーを支えていたスタッフの多くがＮＷＲＯを去ることになった[27]。しかしグラックによるインタビューでは、ワイリーや男性スタッフの性差別や白人スタッフと黒人の受給者との「対立」は指摘されるものの、こうした「対立」を生み出した背景については十分に触れられないままだ。

法改正や受給者の権利意識の芽生えによってＡＦＤＣの受給者数は戦後急増した。加えて、そこに占める黒人とシングルマザーの割合が増加したことで、ＡＦＤＣは黒人シングルマザー（未婚、ないしは離婚による）向けのプログラムとして認識されるようになった。ＡＦＤＣの拡大とその性質の変化に危機感を抱いた政治家やメディアが受給者叩きを開始した。[28] 福祉権運動の拡大は強烈なバックラッシュを生み出すこととなった。

こうしたバックラッシュはNWROの資金状況を急激に悪化させた。一九六六年から六九年にかけて寄付金全体の平均値が四七％を占めていた白人プロテスタント教会からの寄付金は、一九七三年末にはほぼ無くなった。もともと教会や民間団体や個人の寄付金、政府資金に依存していたことが致命的となった。NWROの赤字は大幅に増大し、一九六九年に五万ドル以上あった借金は一九七二年には一五万ドル以上に及んだ。[29] このNWROを取り巻く世論と資金状況の変化をふまえずに、ワイリーやワイリーを支えたスタッフと受給者の母親たちとの軋轢を理解することは難しい。

ワイリーが一九七三年一月末に事務局長を辞任して以降、資金繰りがますます苦しくなったNWROは七五年三月に自己破産を申告し、活動の幕を閉じることとなった。ティルモンはワシントンDCからワッツに戻り、一九九五年一一月二二日に享年六九歳で亡くなるまで福祉受給者のための活動を続けた。[30] B・クリントン政権下で「個人責任・就労機会調整法」が制定され、AFDCが廃止に追い込まれるのはティルモンの死から九か月後のことであった。

ティルモンのオーラル・ヒストリーは何を語るのだろうか。それは福祉権運動をともに担い、貧しい受給者とその家族のために闘ってきた「同志」ワイリーと、ワイリーの組織運営に不満を抱く人びとを説得しようとした「仲裁役」としてのティルモンの姿かもしれない。ティルモンの〈ブラック・フェミニズム〉は、黒人女性受給者の経験に根差しつつも、ミドルクラス男性のスタッフを締め出すものでも、白人貧困層の女性を排除するものでもなかった。むしろ受給者と彼女ら／彼らのために起ち上がるすべての人びとに開かれたものであり、受給者の〈生〉を軽んじる社会のあり方を問い直す――その過程で〈福祉権〉という新たな概念を誕生させる――ものであったのではないだろうか。

　ティルモンのオーラル・ヒストリーは聞き手である研究者のグラックと情報提供者《インフォーマント》であるティルモンとの距離を露呈させる。NWRO内に性と人種による分断があったことを確かめようとするグラックに対して、皮肉にも浮かび上がるのはグラックとティルモンの齟齬であり、グラックへの伝わらなさである。そのすれ違いのなかで、ティルモンは自らの実体験としての「過去」を振り返り、語った。

　ティルモンとの対話がグラックの女性解放運動に対する理解をどのように変えた可能性があるのか、という点について最後に考えたい。グラックは他の研究者の協力を得てのちに「誰のフェミニズム、誰の歴史か？――アメリカの（複数の）女性解放運動の歴史を掘り起こすことについての考察」と題した論文を発表した。このなかでグラックは、白人中産階級の女性が「ジェンダー」を最前面に押し出し、有色人種の女性も男性を批判し、フェミニズムの思想を生み出したはずだと想定すること自体を問題にする。それはまるでティルモンに同じ質問を繰り返した自身を批判しているかのようである。福祉受給者の女性を女性解放運動の担い手としてみなすべきか質問したところ、ティルモンから得られたのは「素っ気ない」応答だった。そして自身の「単純化された単一のフェミニズム像」に見直しを迫られたこと、この「単一のフェミニズム像」はフェミニズムの理論を発展させることには役立つかもしれないが、ティルモンらの「生きたアクティヴィズム」を「歪める」かもしれない、と懸念する。グラックは、様々な経験を経てきた人びとの歴史をどう理解し、叙述するのかという、自身にはこたえを出すことが出来なかった「非常に困難な課題」を新しい世代のフェミニスト研究者に託し、筆をおいた。

〈複数のフェミニズム（feminisms）〉という、ティルモンが問いを投げかけ、その問いに揺さぶられたグラックが提起した問題は、「第二派」と呼ばれる一九六〇年代後半から七〇年代にかけて展開した女性解放運動の歴史研究に一石を投じることになった。(32) ティルモンとの「接触」はグラックと「第二派」の歴史に関心を寄せる人びとの歴史観を揺さぶるものでもあったのかもしれない。

「点」の人びとをつなぐ——岩手県北の生活記録運動

大串潤児

視線の先

一九五〇年代から高度経済成長期の岩手県北、主として三陸海岸沿いの村むらを一人の青年が歩き続けていた。「無灯部落に発電機と映写機を持ち込んでの映画会、保健婦と同行して家族計画講習、生活改良普及員とともに作業衣や料理の講習、保健所の方々と血圧測定や乳児の健康相談、青年や成人男子対象の酪農や植林の相談等、地域の人々の声を聴き、要望に答えるように努めました」（『おんなの苦闘史』）。県は次のように考えていた。「社会教育振興は、定型的なものによることは、極めて困難であつて、むしろ、住民の日常生活の場において営まれている教育機能を、組織的にくみたて、漸次的に高めていく、何らの新しい方式が追求されなければならない」、だからこそ「地域住民の切実感のつよい素朴なねがいをみぬいて」教育実践を行う必要がある（『岩手県教育年報』一九五七年版）。「日常生活の場」において、どのように「切実感のつよい素朴なねがい」を「みぬく」ことが出来るだろうか？　その〝よすが〟は何だろうか？

この青年、岩手県下閉伊郡宮古市にある郡教育事務所に「へき駐在社会教育主事補」として赴任した三上信夫（一九二七〜二〇〇八年）[1]は、ようやく活動を活発にしつつあった各地の青年会や婦人会など女性たちの集い、そして開拓集落をまわる日々を過ごしていた。また、信夫は多くの写真を遺している。彼の視線は何を切り取ろうとしていたのか？　一九四九年、信夫は岩手師範学校を出ると、岩手県北の山間部・大川中学校釜津田分校に赴任した。師範教育にはなじめなかった。日本の教育は「盆栽」のようだ。「伸びようとつとめる樹」の「芽を摘み」「枝を曲げてしまう」。これからの日本の教育も、「親が親孝行を説き、教師が師の恩を説き、愛のムチが飛びまわる世にならなければ、と希う」。そして、「盆栽教育の精神」は「吾々の心の中」にもあるのではなかろうか、という問いかけ（「盆栽教育を恐れる」『岩手教育』第三〇巻第三号、一九五五年三月）。子どもの姿は、「分校の片すみにある古ぼけたボール箱の紙きれ」や「色あせたノート」に表現されている。「子供の目ほど注意深く、鋭く、感のよい目はなく、どんな小さなことでも子供の目ほど見事に捕らえる目はない、このことを忘れてはならない」（「へき地を見つめる子等」『岩手教育』第三一巻第七号、一九五六年七月）。社会教育主事になるまでに信夫はこうした経験と感性を身につけていた。

「釜津田の若い人」とおんなたち

岩手県下閉伊郡大川村。小本川上流域の渓谷にそってひろがる八〇〇から一三〇〇メートルあまりの山やまに囲まれた山村で、釜津田・大川・浅内の集落がある。平地は狭く、傾斜地で営まれる焼き畑で大麦・ひえ・大豆・小豆などを栽培しているが、農業だけでは暮らして行くことが出来ず、短角牛を育て、薪・材木など林業労働によって賃金を得ている。専業の製炭者（炭焼き）も多い。大川には診療所があるが釜津田は冬になるとバスも止まるので診療所設置を望む声が多い（『へき地の社会教育――焦点振興地域二ヶ年の歩み』一九五九年）。一九五七年に「無電灯地域の名を返上」、九〇％の世帯がラジオを持つようになった（「釜津田の若い人たち」『北の生活』創刊号、一九五九年八月）。ここの青年会は、青年団活動「不振地帯」（『岩手県教育年報』一九五九年版）といわれた県北地域のなかでは活動が盛んな会であった。「家」と青年会活動の関係を調整するため「共同作業」を実施、「大人のかたくなな考え方」が「知らぬ間に変えられていく」。「二、三男のグループを作つて就職などについての勉強もしたいと話し合つて」いる（「釜津田の若い人たち」）。「教育委員会つてオラの世話をもつとごだつてか〔持つとこだって?〕」」。信夫は青年たちからの問いを受けとめる。「釜津田の若い人」たちは青年たちの豊富な会話を採録した独特の文体を記録したものとなった。信夫にとって釜津田の青年たちは「生活の現実を見つめて住みよい村づくりに力を合わせて立上つている青年達」だった。

地域の婦人会を中心に、婦人学級も開設され、和裁・料理、「受胎調節」「保健衛生」「生活改善」の講座・講習会が積極的に開催されている。『へき地の社会教育―焦点地域振興三ヶ年の歩み』記載の報告は信夫が書いたものと思う。口語体の「記録」と信夫の「批評」が一体となっている。「家にばかりいれば〔居る〕先生もどれが誰だもんだかほんとうほんでえがねえ〔解らない〕」（「母と教師の間がへき村でどうであるかを示す言葉」）、「めしを食う時は何もさべんねえ〔……〕講師先生の家では何もさべりながら食つてそうつけ〔そう云う〕が」（「新しい何かを感じ既に在るものがぐらつき始めている」）、「休まねえば一番だつて家のわらしはそういうが、わらしを休ませる位のどこ〔所〕は会さも出て来なえが」（「長欠の対策が会という自由加入組織の中で話し合われているだけでは解決し得ない問題」）。釜津田は製炭者をその対象の中心として行政が家族計画モデル構築のために補助金や行政指導などを積極的に行う「家族計画指定部落」であった。信夫は婦人会員二三人を直接に調査する。「Nさん（二三歳）は六人生んで三人死亡。Sさん（四七歳）は八人生んで五人死亡。Mさん（三八歳）は六人生んで三人死亡」（「生んだ子はどれだけ死ぬ」前掲・『北の生活』創刊号）。まとまった統計ではない、女性一人ひとりに即した記録である。

不信感と共感と

田野畑村池名集落は三陸海岸の段丘上にあり、村役場から八キロメートルもの距離にある標高一〇〇メートル戸数二三／人口一二五人の高原開拓地である。地域住民からは営農環境の改善、電灯設置、医療（診療所への医師派遣）、現金収入の方途などがあがっている（『岩手日報』一九六〇年五月一四日）。一九五九年四月、下閉伊郡社会福祉協議会によって「保健福祉推進地区」指定をうけ、部落座談会なども開催されるようになった。県庁職員は次のように語る。家族計画・衛生教育などの会合に「集まりが悪い」、「殆んど意見をゆわない」、「指導する方が途方にくれるほど手答《まま》えがない」「いわゆる『物言わぬ農民』」などなど（中館先発郎「取り残された地域　岩手県保健衛生」『月刊福祉』第四五巻第五号、一九六二年五月）。信夫は問う。「いろいろなことをいうけれど、ギリギリ一杯は働いているんだ」「力を合わせて努力すればキッとよくなるといいたいだろうが、自分たちもいろいろ考えてもみたし、やってもみた」「もっともらしいことはいうけれども、ほん気で私たちの面倒をみてくれる気かいな？」、「このような不信感をぬぐい去ること」「ささやかな実行の積み重ねと、かなりの時間」が必要ではないか、と（「住民を共感で結びつけること」『月刊福祉』第四六巻第九号、一九六三年九月）。

池名分校につとめる伊藤昭和・テイ夫妻は季節保育所を開設するかたわら、一九六一年四月から部落通信「いけな」を発行していた。信夫は「いけな」の役割を地域住民に対する「継続的なアドバイス」つまり「前向きな意思疎通」と評し、「形にこそあらわれないが、部落民を共感で結び、問題の発見、共同思考、問題解決行動という、ごく自然な無理のない地区活動を育てる大切な役割を果たしていた」という。住民自身を「自信づけ、問題意識のほりおこし、組織的活動〈組織づくり〉の方向こそ、真に自主的な住民による住民活動の道すじではないだろうか」との「問」が明確になっていった（「住民を共感で結びつけること」）。「『出て来て欲しい人は出て来ないんです』これは数多い集りの指導や世話をする人からよくきかされる言葉ですが、出て来ないわけで〝忙しさ〟のほかに〝願望や期待にこたえてもらえないだろう〟という不信感のようなものがあってのことだとすれば、やはり指導する側と指導される側の根底にある意識の溝を共感の橋でつなぐ必要があるのではないかと思うのである」（「前提の喰違い」『岩手の保健』第七一号、一九六四年九月）。

「豆の畑の中で語ったことがきっかけで、便りをくれるようになった母さんもありました」（『埋もれた母の記録』）。信夫は、村むらをめぐる巡回指導、集落の座談会、集会などとは別の場所・つきあいでの人びとの「語り」を大切にし始めていた。でも「文集のことは頭のなかには浮かんではいませんでした」という（同）。

文集が生まれる

一九五〇年代末から六〇年代にかけては岩手県の文化運動にとって一つの「開花期」であった。青年団、サークル、婦人会・若妻会などのグループがさかんに各地で生活記録の文集を発行していた（岩手県青年団運動研究所編『岩手県青年若妻生活記録運動史』岩手県青年団協議会、一九六二年）。信夫は、県北の生活記録運動について「自分の力、自分の言葉で相応のことを素直に書く」ことに想いがおよばなかった姿勢が次第に変化していったと観察している。また「抽象的なことばや観念論は姿を消して生活のゆがみや暗さを見つめる生活記録」、「語りかけるように綴る」文体の登場に注目するのである（「岩泉を中心とする北上山地北部地区の記録活動」『同』）。

「母さんたちの記録を集めようと思ったきっかけは、しいていえば母さんたちの本当の声をききたいという願いが動機だった」。「活動を繰り返すたびに『これでいいのだろうか』いつもそんな割り切れない気持」が信夫をとらえる。「集りに出られる人も、出られない人も共感で結ばれる場、そんな広場をつくることが出来たら！　そんな思いにかれらた」（『埋もれた母の記録』）。

「ある海岸の部落の婦人会の集りがあり何か話してくれということだったのです。バスは朝と夕方二往復しかない所でしたが、夕方のバスで出かけて行きました。ところが日ぐれから吹き出した風が次第に強くなって部落についた時には物すごい暴風となり、はんてんをつけた消防団の人たちが見まわりをしていた程でした。〔……〕「今夜は風もつよいし学校に集まるのはやめてここに集まった人だけで、すきなことをしゃべることにするべ」〔……〕云うことをきかない子供のはなし、オヤジの気げんのとり方の御披露から、浜で働いていたおじいさんがビンのかけらで手を切り、波で打ち寄せられたアレ〔産制器具〕をそれとは知らず指にかぶせ〔……〕平気な顔でいるのがおかしかったとか、それぞれの初潮の体験などを〔……〕語り出すのでした」（『埋もれた母の記録』）。信夫は発見する。「どこにも出ない母さんも出て語らない母さんも時と所を得れば同じような語り手になれる人たちであること」、でも「自由に語り得るのは限られた場所で、やはり気心のわかった同志という、限られた中においてでのよう」だということを。「母さんたちの切なる思いや願い、それがその場限りの声として消えてしまっていいのだろうか」

（『おんなの苦闘史』）。

地域で発行されている文集、広報、「自分の聞き書き」などを集め、さらに婦人会などの集まりに参加できなかった女性のための「お知らせ」を配布する。こうして一九六〇年四月七日、手書きガリ版刷の文集『働く母』創刊号（第一集）が出来あがった。信夫と仲間たちは「生活をつづる会」となのり、文集を出し続ける。わずか一四頁、小さな出発だった。「この子たちのたどたどしくつづる記録。そこにはこの母たちが、目を輝かせてうなづきあう生きた素材が何と多いことであろう」と子どもの作文も多く掲載された（「底辺に生きる母たち」『月刊社会教育』第四五号、一九六一年八月）。第一集は田野畑小学校の学級文集『こだま』と『釜津田婦人会　会報』から「一三人の母さんたちの記録を選んで、一つ一つの文に感想をそえ」たものである。(2)

ワタシ　ガッコズタイ　ニワ　オンナノコワ　ズブンノナマエ　カケレバヨイモノダ　ト　ユワレテ　ダサレナカタノデ、トテモ　クヤシイノデ、ナキマシタ。イマノ　ジダエナラ　コンナコトワ　ナイトオモイマシ。
（日雇い　『働く母』一四集、一九六三年三月一日）

苦しい時　いやな問題にぶっつかった時　一人でクヨクヨしていても　誰

もすくっても助けてもくれません。おたがいに勇気を出して、話し合い　みんなの問題として考え、じゃやまものは　とりのけて進んでいくよう　心がけようでは　ありませんか。

（二人の子どもの母『働く母』第一〇集、一九六二年二月二一日）

「どの母さんも、どの母さんも、かくことに　なれていないのです。どんなにか苦労してかいてくれたことかと思います。」「働くことで　せい一ぱいの人がだんだん　ふえていくような気がしてなりません。わたしたちは　ふだん話しで用をたしますが　考えてみると　話したくても話せなかったり、話したくなかったり、誰にもいわないで心に残っていることがたくさんあるような気がします」（『働く母』第二集、一九六〇年七月三〇日）。「自分の手で、自分の文字で　かき残して　これからの生き方を考えるたしにしていきたい」（『働く母』第三集、一九六〇年九月二五日）、「どんな暮らしをしている人も気軽に書いてもらえる広場にしたい」（『働く母』第七集、一九六一年八月一〇日）。信夫は、生活記録運動や会に属せない、参加し得ない女性たちの声を記録し始めていた。

母とおんな

信夫は「部落を巡回しながら、一人一人に返事や問いかけの便りを出すようにしていた」（『埋もれた母の記録』）。何でもないことかもしれないが、文集のいのちはこの信夫の方法にかけられていたと思う。「この記録をお父さんに見せてともに考えるようにしたい」（『働く母』第六集、一九六一年一〇月一五日）、「かんそう（感想）だけでなく自分のたいけんだんも寄せていたゞきたい」（『働く母』第九集、一九六一年一二月一五日）、「なんねんも　えんぴつをもつたことのない人は　手ならいのつもりでかんじを　わからない人は　ひらがなで　カタカナで　むかしのこと　今日のこと　ちょっとの時間をさいてかいて　とどけて下さい」（『働く母』第三集）、と。第一〇集からは「かあさんいかが」とより積極的に問題・話題を提起し、応答を求めはじめる。「よばいのこと」「むらであつたじさつについて」「オヤとあととり夫婦」の同居・別居について、と信夫は問いかけ始めた。「道ばたの立ばなし、店さきの、のろけ話、畑仕事、そんな時の生き生きとした話」も意識的に投稿をつのり、収集した（『働く母』第一三集、一九六二年九月三〇日）。

文集の購読者は岩泉町を中心にして岩手県北に広がった。釜津田集落・権現で炭焼きをしていたある女性のもとにはセーターなどの古着が文集なかまから届けられるなど、相互扶助の機能も果たすようになる（『埋もれた母の記録』）。

一九六〇年代後半の様子は次のように記録されている。「みなさんも忙しいとみえてお便りやげんこうがみじかくなったり、また前に書いた人でもちかごろかいてもらえない方が多くなりました」（『働く母』第二六集、一九六七年五月二八日）。同時に「仲間のお母さんたちに病気やけががずいぶん多いことです。父さんが出稼ぎしたり、娘や息子さんが家にいなかったり、で体にむりがかかっているのではないでしょうか」（『働く母』第三一集、一九七〇年八月二〇日）との問いかけもなされる。『働く母』第三四集（一九七三年一月一五日）は「工場ができたら幸か」を特集する。工場労働につとめる女性への問をさかいに一九七三年五月、第三五集より文集の名前は『おんな』と替えられる。

信夫は「「出稼ぎ」の問題は、単に地方の産業振興や農村の労働力の確保、あるいは婦人の過重労働といった問題をこえて、人間的な家庭生活の回復という見地から、再ぎん味されるべきではないだろうか」と提起する（「留守をまもる母さんたち—出稼ぎ家庭の背後」『月刊福祉』第五〇巻第五号、一九六七年五月）。「人間的な家庭生活の回復」という問はどうなっていったのだろうか？　信夫の試みは二〇〇〇年代まで続いていく(3)。

歴史のなかの「アメリカ」

978-4-7791-1147-1C0022(06.02)

国民化をめぐる語りと創造　　樋口映美／中條 献 編

経験された“日常のアメリカ”を具体的に検証し、語られる「アメリカ」像と創られる「アメリカ人」意識とは何か？を探り、近代化に伴う上からの一方的な“国民化”と“国民意識”形成という従来の視点による回路を問い直す論集。　A５判上製　3,900 円＋税

〈近代規範〉の社会史

978-4-7791-1944-6 C0020 (13. 10)

都市・身体・国家　　樋口映美／貴堂嘉之／日暮美奈子 編

〈近代〉形成期に、徐々に人々の生活に入り込み、その日常を規定するようになった近代規範の具体的な形成過程を通して、そこで見えてくるもの――「国民」序列化のありよう、秩序形成と規範形成のためのポリティクス――の諸相を抉り出す。Ａ５判上製　3,800 円＋税

流動する〈黒人〉コミュニティ

978-4-7791-1763-3C0022 (12.02)

アメリカ史を問う　樋口映美編　ヘザー・A・ウィアムズ／佐々木孝弘／藤永康政／C・ゲインズ／土屋和代／村田勝幸

〈黒人〉コミュニティの検証で見えるアメリカ史の諸相！奴隷の別離や再会、南北戦争後の新生活を築く人間関係、シカゴでの黒人の輪、ポーターたちの連帯の姿、ガーナでのアフリカ系アメリカ人亡命者たち、海を越える解放の神学、変化を続けるニューヨークの姿……。A5 判上製　2,800 円＋税

公民権の実践と知恵

978-4-88202-754-6 C0022 (02.06)

アメリカ黒人　草の根の魂　　ホリス・ワトキンズ、C・リー・マッキニス著／樋口 映美 訳

“ブラザー”・ホリスが語る貧困、暴力、人種差別、投票権、文化の闘い！　見落とされがちだった地道な草の根の活動を、ミシシッピ州の活動家ホリス・ワトキンズが語る貴重な証言。黒人たちの長い日常的な闘争、多様な活動の歴史が語られる。　Ａ５判上製　3,800 円＋税

引き裂かれた家族を求めて

978-4-7791-2236-1 C0022 (16. 06)

アメリカ黒人と奴隷制　　ヘザー・A・ウィリアムズ 著／樋口 映美 訳

本書は、家族から強制的に引き離された「奴隷」たちが「人」としていかに悲しみ悩み、それでも生きてお互いを求め続けたか、「人の絆」を活き活きと描き、歴史のなかに生きた人びとの生の言葉を通して現代に問いかける名著である。　Ａ５判上製　3,600 円＋税

アメリカの奴隷制を生きる

978-4-7791-1349-9 C0022 (08. 06)

フレデリック・ダグラス自伝　　フレデリック・ダグラス著／樋口映美 監修

奴隷として生まれ、19 世紀前半の 20 年間、「人間性」を破壊する奴隷制に抗って生き、独学で読み書きを覚え、ついに逃亡に成功するまでのダグラスが「人間として生きた」苦難の道のり描く！　今でもアメリカで多くの人々に読み継がれる名著。四六判並製　1,800 円＋税

歴史《れきし》のなかの人《ひと》びと——出会《であ》い・喚起《かんき》・共感《きょうかん》

2020年4月10日　発行　　　　定価はカバーに表示してあります

編　者　樋口映美

発行者　河野和憲

発行所　株式会社　彩流社

〒101-0051　東京都千代田区神田神保町3-10　大行ビル6F

電話　03(3234)5931　FAX　03(3234)5932

http://www.sairyusha.co.jp

印刷　明和印刷㈱

製本　㈱難波製本

装幀　渡辺将史

Printed in Japan

落丁本・乱丁本はお取替えいたします　　ISBN978-4-7791-2666-6 C0020

執筆者紹介（本書執筆順）

樋口映美（ひぐち　はゆみ）専修大学文学部・教授
（単著）『アメリカ黒人と北部産業――戦間期における人種意識の形成』（彩流社、電子版 2019 年、初版 1997 年）/（編著）『流動する＜黒人＞コミュニティ――アメリカ史を問う』（彩流社、2012 年）/（翻訳）ホリス・ワトキンズ、C・リー・マッキニス『公民権の実践と知恵――アメリカ黒人 草の根の魂』（彩流社、2019 年）/ 他。

Cecelski, David（セセルスキ，デイヴィッド）歴史研究者
（単著）*Along Freedom Road: Hyde County, North Carolina, and the Fate of Black Schools in the South* (Chapel Hill: University of North Carolina Press, 1994)/（単著）*The Waterman's Song: Slavery and Freedom in Maritime North Carolina* (Chapel Hill: University of North Carolina, 2001)/（単著）*The Fire of Freedom: Abraham Galloway and the Slaves' Civil War* (Chapel Hill: University of North Carolina, 2012) / 他。

佐藤勘治（さとう　かんじ）獨協大学国際教養学部・教授
（論文）「ディアスポラの民の国民意識――ディアス政権期ヤキ／メキシコ関係の変遷、1875–1909 年」（樋口映美・中條献編『歴史のなかのアメリカ：国民化をめぐる語りと創造』彩流社、2006 年）、「20 世紀転換期米メキシコ国境地域の『曖昧な領域性』――モルモン教徒メキシコ移住とビリャ懲罰遠征隊」『境界研究』第 4 号（2013 年）、「アメリカ・メキシコ国境の標識とフェンスの歴史」『歴史地理教育』第 868 号（2017 年 8 月）/ 他。

Jackson, Jerma A.（ジャクソン，ジャーマ・A）University of North Carolina at Chapel Hill, History Department・Associate Professor
（論文）"Salsiology: Afro-Cuban Music and the Evolution of Salsa in New York City," *The Hispanic Amerikan Historical Review*, 1993/（単著）*Singing in My Soul: Black Gospel Music in a Secular Age* (Chapel Hill: University of North Carolina Press, 2004)/ 他。

Cecelski, Vera（セセルスキ，ヴェラ）Site Manager, Stagville State Historic Site, North Carolina
奴隷制農場史跡（州立史跡）スタッグヴィル、とりわけ奴隷制下で奴隷とされた女性たちとその子孫に関する講習会を企画運営 / 2019 年にはノースキャロライナ州ダーラム郡における奴隷制史と食事文化史に関して新たに調査・執筆し、講習会を企画運営 / 他。

青木利夫（あおき　としお）広島大学大学院人間社会科学研究科・教授
（単著）『20 世紀メキシコにおける農村教育の社会史——農村学校をめぐる国家と教師と共同体』（溪水社、2015 年）／（論文）「公教育制度としての先住民教育の限界——メキシコの二言語文化間教育をめぐって」（青木利夫・柿内真紀・関啓子編『生活世界に織り込まれた発達文化——人間形成の全体史への道』東信堂、2015 年）、「メキシコ・シティにおける『恵まれない』子どもにたいする福祉政策と職業訓練」『欧米文化研究』第 26 号（2019 年）／他。

髙橋和雅（たかはし　かずまさ）専修大学大学院文学研究科ＰＤ
（論文）「ブルースの可能性——アメリカ黒人史研究における展望」（『専修史学』第 44 号、2008 年 3 月）、「アメリカの音楽文化に関する史的視座——理論的枠組の構築に向けて」（『専修史学』第 55 号、2013 年 11 月）／（書評）「松原宏之『虫喰う近代—— 1910 年代社会衛生運動とアメリカの政治文化』」（『専修史学』第 56 号、2014 年 3 月）／他。

Williams, Heather Andrea（ウィリアムズ，ヘザー・アンドレア）University of Pennsylvania, Africana Studies・Professor
（単著）*Self-Taught: African American Education in Slavery and Freedom* (Chapel Hill: University of North Carolina Press, 2005; *Help Me To Find My People: The African American Search for Family Lost in Slavery* (Chapel Hill: University of North Carolina Press, 2012);*American Slavery: A Short Introduction* (New York: Oxford University Press, 2014)／他。

佐々木孝弘（ささき　たかひろ）東京外国語大学大学院総合国際学研究院・教授
（論文）「殺された少女とその家族の表象——メアリー・フェイガン殺害事件とレオ・フランクのリンチ事件再考（1913 年 -1915 年）」『クァドランテ』第 5 号（東京外国語大学海外事情研究所、2003 年）、「脱走兵とジェンダー——南北戦争期のノースカロライナ州の事例から」（立石博高・篠原琢共編著『国民国家と市民——包摂と排除の諸相』（川出版社、2009 年）、「外に向かって開かれた家族とコミュニティ—— 1900 年、ノースキャロライナ州ダーラム市のアフリカ系アメリカ人たち」（樋口映美編著『流動する〈黒人〉コミュニティ——アメリカ史を問う』彩流社、2012 年）／他。

永島　剛（ながしま たけし）専修大学経済学部・教授
（共編著）『衛生と近代——ペスト流行にみる東アジアの統治・医療・社会』（法政大学出版局、2017 年）／（論文）「昭和初期の疫癘——川崎における赤痢流行を

中心として」（専修大学人文科学研究所編『災害 その記録と記憶』専修大学出版局、2018年）、「近代ロンドンの病院医学校と医師資格制度」（坂井建雄編『医学教育の歴史――古今と東西』法政大学出版局、2019年）/ 他。

佐原彩子（さはら　あやこ）大月市立大月短期大学経済科・准教授
（論文）「自立を強いられる難民――1980年難民法成立過程に見る「経済的自立」の意味」『アメリカ史研究』第37号（2014年）、「アメリカ難民政策の問題点」（兼子歩・貴堂嘉之編『「ヘイト」の時代のアメリカ史――人種・民族・国籍を考える』彩流社、2017年）、「難民支援戦略の起源――アメリカによるインドシナ介入」（蘭信三・川喜田敦子・松浦雄介編『引揚・追放・残留――戦後国際民族移動の比較研究』名古屋大学出版会、2019年）/ 他。

兼子　歩（かねこ　あゆむ）明治大学政治経済学部・専任講師
（共編著）貴堂嘉之・兼子歩編『「ヘイト」の時代のアメリカ史――人種・民族・国籍を考える』（彩流社、2017年）/（共著）『グローバル・ヒストリーとしての「1968年」――世界が揺れた転換点』（ミネルヴァ書房、2015年）/（論文）「ダンスホールの境界線――戦間期ニューヨークのダンスホールをめぐるセクシュアリティと人種のポリティクス」（樋口映美・貴堂嘉之・日暮美奈子編『「近代規範」の社会史――都市・身体・国家』彩流社、2013年）/ 他。

土屋和代（つちや　かずよ）東京大学大学院総合文化研究科・准教授
（単著）*Reinventing Citizenship: Black Los Angeles, Korean Kawasaki, and Community Participation* (Minneapolis: University of Minnesota Press, 2014) /（論文）「1992年ロスアンジェルス蜂起をめぐる表象の政治――『薄明かり――ロスアンジェルス、1992』と記憶の重層性」（田辺明生、竹沢泰子、成田龍一編『環太平洋地域の移動と人種――統治から管理へ、遭遇から連帯へ』京都大学出版会、2020年）、「生存権・保証所得・ブラックフェミニズム――アメリカの福祉権運動と〈一九六八〉」（『思想』1129号、2018年5月）/ 他。

大串潤児（おおぐし　じゅんじ）信州大学人文学部・教授
（単著）『「銃後」の民衆経験――地域における翼賛運動』（岩波書店、2016年）/（論文）「1960年代のサークル「山脈の会」――発想とテーマについてのノート」（『国立歴史民俗博物館研究報告』216、2019年3月）、「戦時紙芝居論――紙芝居

は誰が演じたのか？」（安田常雄編『国策紙芝居からみる日本の戦争』勉誠出版、2018 年）/ 他。

註

第一部

樋口映美「活動家ブルース・ハートフォードとの対話から」

(1) 南部の公民権運動（解放運動）は1960年代になるとマスメディアによって全国的に周知された。それは、南部諸州で例えば、黒人の大半が選挙権の行使に必要な登録を白人優越主義者によって阻まれるといったような状況を、つまり、白人優位・黒人劣位の人種秩序を、改善し変えようとする多様な抗議活動の総称である。多くの場合、全国黒人向上協会（ＮＡＡＣＰ）や学生非暴力調整委員会（ＳＮＣＣ）などの公民権組織の、州外・州内出身者双方から成る活動員や地元住民らが、白人優位体制を維持しようとする州政府や各地の治安当局と対立する呈を成し、多くの公民権活動員や住民が逮捕・投獄された。暗殺された公民権活動員も多い。

(2)「マスターナラティヴ」は、歴史の実態をわかりやすく往々にして単純化した（あるいは単純化の過程で歪めた）ものが繰り返し語られた結果、あたかも実態の全貌を示す「語り方」として普及したものであるといえる。

(3)「ブラウン対トペカ教育委員会」判決は、通称「ブラウン判決」とも呼ばれる1954年の連邦最高裁判所判決で、公立学校が白人生徒のみの白人学校とそれ以外の黒人学校に分離されている人種隔離の状況を違憲（アメリカ合衆国憲法に違反）とみなした。南部諸州ではこの連邦最高裁判決を公立学校の教育行政（州の権利）に対する越権行為だと主張する非難が激しくなり、ミシシッピ州ではいち早く各地で地域の有力者から成る白人市民会議（Citizens' Council）が組織され、ブラウン判決に対抗した。やがて州議会はミシシッピ州統治権委員会（Mississippi State Sovereign Commission）創設を採択し、同委員会を公民権活動阻止を掲げる州政府の一機関として1956年に始動させた（同委員会は1977年に廃止され、州政府古文書課のサイト https://www.mdah.ms.gov/arrec/digital_archives/sovcom/ で文書史料がディジタル化され公開されている）。1950年代半ば以降こうした状況下でクークラックスクラン（ＫＫＫ）の活動もさらに活発になった。

(4) ＳＣＬＣ（Southern Christian Leadership Conference）「南部キリスト教指導者

会議」は、キリスト教の牧師たちが1957年にアラバマ州モントゴメリで創設した公民権組織で、マーティン・L・キング（ジュニア）を会長とし、非暴力による実力行使を掲げたことで知られる。

(5) ミシシッピ州グレナダでは、1966年6月14日のメレディス行進通過を機にＳＣＬＣと地元住民によって「グレナダ解放運動」がついに組織された。公立学校の人種統合がグレナダで計画されると、白人優位の現状維持を求める白人住民の反発は高まり、ハートフォードさん自身も9月に路上で攻撃された。秋の新学期開始に伴い、人種統合を望んだ黒人生徒たちが登下校中に、やがては校内で暴行を受ける事態となり、生徒を守る闘争が続いた。詳細は、"The Grenada Movement (June-December)" (https://www.crmvet.org/tim/tim66b.htm#1966grenada) を参照。これは、ミシシッピ州ではＳＣＬＣが主体的に関与した数少ない事例の一つである。

(6)「恐怖に対抗する行進」、通称メレディス行進。1962年にミシシッピ大学に入学を果たしたジェームズ・メレディス（James Meredith）は、卒業すると公民権獲得のための行進を1966年6月6日に開始。メレディスが行進開始の翌日に襲撃されると、多くの組織・人びとが、行進継続と投票権獲得活動に参加し、同月25日にジャクソンまでの行進を貫徹した。

(7) ＳＮＣＣ（スニック）「学生非暴力調整委員会」は、1960年4月に100名ほどの若者がショー大学（ノースキャロライナ州ラレー）に集まり、エラ・ベイカーの助言を得て、学生独自の公民権組織として結成される。ミシシッピ州やアラバマ州など南部諸州を活動拠点とした。詳細は、SNCC Digital Gateway (sncigital.org/inside-sncc/the-story-of-sncc/) や SNCC Legacy Project (sncclegacyproject.org/about/legacy) を参照。

(8) ＣＯＲＥ（Congress of Racial Equality）人種平等会議は、1942年にシカゴ大学で創設され、全国的に座り込みなどを試みた。1947年には長距離バスの乗車に関する平等を求めて、ヴァージニア州からテネシー州にかけて乗車運動を実施した。1961年には首都ワシントンからルイジアナ州ニューオーリンズを目指すフリーダムライドを提唱した。メレディス行進にも参加。

(9)「ブラックパワー」は、ＳＮＣＣ組織内ではすでに議論されていた黒人自立の考え方で、メレディス行進の途中、グリーンウッド郊外で委員長ストークリー・カーマイケルが提唱した。マスメディアの多くが、「非暴力を掲げていた公民権運動」がこれにより変節したと解釈し、話題となった。詳細は、ホリス・ワトキンズ他『公民権の実践と知恵――アメリカ黒人 草の根の魂』（彩

流社、2019 年）9 章参照。

(10) アン・ムーディはミシシッピ州生まれで、「黒人である」というだけで人が殺される現状に疑問を感じて、トゥガルー大学在学中に公民権活動に本腰を入れるようになる。その結果、ＫＫＫの敵とみなされ、攻撃の的となった。詳細は、アン・ムーディの自伝 *Coming of Age in Mississippi*（1968 年）（『貧困と怒りの南部——公民権運動への 25 年』彩流社、2008 年）参照。

(11) Abdul Alkalimat から H-AFRO-AM@H-NET.MSU.EDU への配信メール 14 January 2011. LaToya Jefferson から筆者への電子メール、30 January 2011.

(12) 1960 年代末から 70 年代のベトナム反戦運動を、当時の活動家でもあった油井大三郎が世界史的な視野から語る名著として『平和を我らに —— 越境するベトナム反戦の声』（岩波書店、2019 年）がある。

(13) 参列者の一人（ロバート・チン）の三女マデリンとのインタビュー（2013 年 3 月 13 日、ミシシッピ州キャントンにて）。

(14) ハートフォードさんから Hayumi Higuchi 宛のメール、2019 年 8 月 6 日。ウェブサイト www.crmvet.org 参照。最近の著書には、*"Trouble Maker": Memories of the FreedomMovement* (San Francisco, CA: West Wind Writers, 2019) がある。

デイヴィッド・セセルスキ「スキワーキー墓地にて」

(1) David S. Cecelski, *Along Freedom Road: Hyde County, North Carolina, and the Fate of Black Schools in the South* (Chapel Hill: University of North Carolina Press, 1994).

(2) David Cecelski, “Willis Williams: Life and Death at Devil’s Gut,” *News and Observer* (Raleigh, N.C.), 13 June 1999. 以下のサイトで入手可能 https://www.ncpedia.org/listening-to-history/williams-willis。

(3) ニードゥルマン事件（The “Needleman Case”）は、ノースキャロライナ州の歴史における事件としてもアメリカ合衆国南部史における事件としても一般の人びとや研究者たちにも長年忘れられてきた。例外的に Vann R. Newkirk, *Lynching in North Carolina, 1865-1941* (Jefferson, N.C.: McFarland & Co., 2008), 84-94, と Vann R. Newkirk, “That Spirit Must be Broken: The Mutilation of Joseph Needleman and North Carolina’s Effort to Prosecute Lynch Mob Participants During the 1920s,” *Southern Jewish History* 13 (2010) という重要な研究がある。最近では Leonard Rogoff の *Down Home: Jewish Life in North Carolina* (Chapel Hill: University of North Carolina Press, 2010), 203-204, と *Gertrude Weil: Jewish*

Progressive in the New South (Chapel Hill: University of North Carolina Press, 2017), 146がニードゥルマン事件に言及しているが、Newkirkの研究は、20世紀初頭のノースキャロライナ州におけるユダヤ系人びとの歴史に同事件を位置づけている。ニードゥルマン事件を扱っているわけではないが、Bruce E. Bakerの*This Mob Will Surely Take My Life: Lynchings in the Carolinas, 1871-1947* (New York: Continuum, 2008)からは、マーティン郡の同事件を理解するために重要な背景やアメリカ合衆国南部の歴史で一般的な自警の暴力が編み出す複雑な状況について知ることができる。ノースキャロライナ州におけるリンチ事件については、Claude A. Clegg III, *Troubled Ground: A Tale of Murder, Lynching, and Reckoning in the New South* (Urbana: University of Illinois Press, 2010)とPatrick Huber, "Caught Up in the Violent Whirlwind of Lynching: The 1885 Quadruple Lynching in Chatham County, North Carolina," *North Carolina Historical Review* 75 (1998): 135-160も参照されたい。

(4) ニードゥルマン事件は地方新聞で広く報道された。ウィリアムストンの新聞では、The Enterprise (Williamston, N.C.), 27 and 31 March 1925; 3, 7, 10, and 14 April 1925; 5-8, 12, and 29 May 1925; 15 September 1925; 29 July 1927; and 12 October 1928を参照。インターネットではDigitalNC (https://www.digitalnc.org/collections/newspapers/), から入手可能。これら新聞史料は、Martin County Public Library, Williamston, N.C.に所蔵されている。この事件は何人かの被告が在住していた同州キンストンでは*Kinston Free Press* (Kinston, N.C.), 30-31 March 1925; 2 and 9 April 1925で報道された。*Kinston Free Press*の 2 April 1925付の記事では襲撃の2, 3日後にニードゥルマンがWashington, N.C.の*Washington Daily News*に語った記事があり重要である。それも、インターネットのサイトNCDigitalで入手可能である。

(5) David Cecelski, "Myrtle Peele: Book Dreams," *News and Observer* (Raleigh, N.C.), 14 November 2004. 以下のサイトで入手可能 https://www.ncpedia.org/listening-to-history/peele-myrtle。

(6) ジョン・トマス・スミスウィックについては、Paul Peel, Jr., "Reference Point" (Williamston, N.C.: s.p., 1977), 97-119を参照。この家族史は、家族の話や写真、先祖の系譜、スミスウィックの遺言や弔辞などが含まれており、ニードゥルマン事件がスミスウィック一家に与えた影響についてはpp. 110-111に簡潔に述べられている。この事件に関わった他の多数の家族についても書かれている。

(7) ミスター・ピールからのメモ（February 2014）と電子メール（12 February 2014）でミスター・ピールは、グリフィン町出身で事件に関わった白人群衆の各自を取り上げ、自分との関係、それぞれの人間関係、1920年代における地域社会での地位（職業と教会関係）について述べ、その子孫たちがマーティン郡に今も在住していると語った。メモのなかには、ニードゥルマン事件について関係者の子孫たちとのインタビューも含まれている。メモとメールには、その話の概要と引用もある。それらについては、"Needleman References," February 2014 memorandum by Paul Peel, Jr.,（David Cecelski 所有）と Paul Peel, Jr. から David Cecelski への電子メール（12 February 2014）。ミスター・ピールと私は、これらの人びとについて、録音ではなくメモを書きつけただけであるが、個人的にさらに議論した。

(8) 例えば Leonard Rogoff, "A History of Temple Emanu-El: An Extended Family, Weldon, North Carolina" (Durham, N.C.: Jewish Heritage Foundation of America, 2007), 10 を参照。1920年代のクークラックスクランに関する一般的な情報としては、Nancy MacLean, *Behind the Mask of Chivalry: The Making of the Second Ku Klux Klan* (New York: Oxford University Press, 1994) を参照されたい。

佐藤勘治「『邦人七名殺戮』の風説」

(1) 上野英信『眉屋私記』潮出版社（1984年）223-224頁。引用は、同書に再録された山入端の手記「在外五十有余年ノ後ヲ顧ミテ」から。なお、引用文中いくつかに不適切な表現があるが、史料として性格から本小論ではそのまま引用した。以下同様。

(2) この事件については、以下の2冊が詳しい。Juan Puig, *Entre el río Perla y el Nazas: La China decimonónica y sus braceros emigrantes, la colonia china de Torreón y la matanza de 1911* (Consejo Nacional para la Cultura y las Artes, 1992). および Julián Herbert, *La casa del dolor ajeno* (Random House, 2015).

(3) メキシコにおける東洋系移民の概要は以下を参照のこと。佐藤勘治「メキシコ北部開発における東洋人移民労働者の役割、1882-1929年」『アジア経済』第39巻第9号（1998年）4-5頁。

(4) "Una terrible matanza de chinos," *El Imparcial*, 23 de mayo de 1911.

(5) 在墨国臨時代理公使堀口九萬一、外務大臣小林壽太郎宛電信第22号、明治44年（1911年）5月27日着『墨国内乱関係帝国臣民ノ損害賠償一件』（5・3・

２・１５４）外務省外交史料館（国立公文書館アジア資料センター PDF 書類を参照）。

(6) Wilfley & Bassett, *Memorandum on the law and the facts in the matter of the claim of China against Mexico for losses of life and property suffered by Chinese subjects at Torreon on May 13, 14, and 15, 1911* (American Book & Printing Co., Mexico D.F. July 13, 1911), 5-6. ここでは以下で参照した。Archivo Histórico Genaro Estrada (Secretaría de Relaciones Exteriores, México), *Chinos en Torreón, Su asesinato*, Exp. 13-2-34, Legajo II.

(7) Antonio Ramos Pedrueza, "Informe (sin título)," 13 de septiembre de 1911, *Chinos en Torreón*, 前掲書類ファイル。

(8) 在墨国臨時代理公使堀口九萬一「トレオン市ニ於ケル本邦人殺害ノ有無取調ニ関スル件」明治 44 年（1911 年）6 月 24 日『墨国内乱関係帝国臣民ノ損害賠償一件』前掲史料。この報告には、横飛、ミズノの書類のほか、後述ベルギー領事の書簡などが添付されている。

(9) J. W. Lim, Declaración del Doctor J. W. Lim, 8 de agosto de 1911, *Chinos en Torreón*, 前掲書類ファイル。Legajo I に帰化者名簿があり、Lun Walter J. の名が見える。

(10) "Report of investigation of Chinese Massacre that G. C. Carothers, American Consular Agent, Torreon, Coahuila, Mexico, made June 7, 1911," RG 59, General Records of the Dept. of State, 312.93/7. 日本人が虐殺されたとしている研究書は、例えば、Robert Chao Romero, *The Chinese in Mexico, 1882-1940* (University of Arizona Press, 2011), 148.

(11) 在墨国臨時代理公使堀口九萬一「トレオン市ニ於ケル支那殺戮並ビニ本邦人被害ノ風聞ニ関スル件」明治 44 年（1911 年）5 月 26 日『墨国内乱関係帝国臣民ノ損害賠償一件』前掲史料。この報告では、犠牲者数が 303 人だと伝えられているとしている。

(12) ウォン Wong Foon Chuck（黄寛焯）については、Lucas Martínez Sánchez, *Monclova en la Revolución; Hechos y personajes, 1910-1920* (Colegio de Investigaciones Históricos del Centro de Coahuila, 2005), 63 が詳しい。Archivo General del Estado de Coahuila の PDF 版 http://ahc.sfpcoahuila.gob.mx をここでは参照した。トレオン正史とも言える Eduardo Guerra, *Torreón, su origen y sus fundadores*, 1932, pp.330-331, では、ウォンはトレオン発展の功労者として特記されている。

(13) メキシコ公使館書記官矢田長三郎報告摘要「墨国ニ於ケル清国人」『墨西哥国ニ於ケル本邦移民関係雑件』(3・8・2・16)『帝国官吏出張雑件復命書ノ部別冊　在外公館　在墨公使館』第2巻　明治40年(1907年) 墨国移民状況視察報告(第2) 外務省外交史料館(国立公文書館アジア資料センターPDF書類を参照)。

(14)『週刊日墨』の連載はのちに書籍としてまとめられた。高木原の証言は、村井謙一編『パイオニア列伝』(出版年不明)、86-87頁。

(15) ジョン・リード『反乱するメキシコ』筑摩書房(1982年)では、1914年、ビリャ軍によるトレオン奪取直前までが描かれている。チワワ市における中国人虐殺については、Paco Ignacio Taibo II, P*ancho Villa, una biografía narrativa* (Planeta, 2006), 675など。

(16) 村井編『パイオニア列伝』前掲書、3-4頁。

(17) Herbert, *La casa del dolor ajeno*, p. 35.

ジャーマ・A・ジャクソン「シルヴィア・ヒルの巧みな生き方」

(1) シルヴィア・ヒル(Sylvia Hill)の公的記録は、アメリカ合衆国の国勢調査(センサス)原典1870年、1880年、1900年を参照。そのウェブサイト情報は以下のとおり。Ancestry.com., *1870 United States Federal Census* [database on-line], Provo, UT: Ancestry.com Operations, Inc., 2009; Ancestry.com and The Church of Latter-Day Saints, 1880 United States Federal Census [database on-line], Lehi, UT: Ancestry.com Operations, Inc., 2010; Ancestry.com., *1900 United States Federal Census* [database on-line], Provo, UT: Ancestry.com Operations Inc. 2004.　なお、ウィリアム・グワスミー(William Gwathmey)の遺言書は、ヴァージニア州リッチモンドのヴァージニア歴史協会(Virginia Historical Society)所蔵のGwathmey Family Papers, Box 7に保管。以下、この一家の文書は、同協会に所蔵されている。

(2) ヒルは、ヴァージニア州キング・ウィリアム郡(King William County)のマンゴヒク(Mangohick)地方の住民であった。そこは概ね、アメリカ合衆国の国勢調査原典(1870年と1890年)によれば、調査員が住民の大半を自営農民あるいは貧農労働者と記載している農業地帯であった。国勢調査原典の情報は註1参照(以下、同様)。

(3) 土地所有については、Debra A. Reid and Evan B. Bennett, eds., *Beyond Forty*

Acres and a Mule: African American Landowning Families Since Reconstruction (Gainesville: University of Florida, 2012) 及び Loren Schweininger, *Black Property Owners in the South, 1790 -1915* (Urbana: University of Illinois Press, 1997) を参照。

(4) [Mary] Burnley Gwathmey, "The Royal Purple Path," pp. 18-19, Gwathmey Family Papers, Series 13, box 52（以下、Gwathmey, "The Royal Purple Path" と表記）。この回顧録の原稿は、1948年に完成され、現在ヴァージニア歴史協会に保管されている。

(5) ヒルの生活に関する正確な証は、自身が残した遺書から知ることができる。その遺書は、Gwathmey Family Papers, Series 8, box 11 に保存されている。

(6) ヒルが育った奴隷制社会では、奴隷とされた女性は出産するものだと見なされていた。現に、1840年には人口の自然増加によって奴隷制が維持されていた。もちろん、奴隷とされた女性たちのなかには流産によって出産を阻まれた女性もいた。メアリ・バーンリー・グワスミー（Mary Burnley Gwathmey、以下メアリ・グワスミー）の回想録には、ヒルが出産したことは記されてはいない。この沈黙は注視に値する。メアリ・グワスミーによれば、ケイティ（Caty）は奴隷解放の時期に、デニス（Dennis）・ヒルは1880年代にそれぞれ死亡したと記されている（Gwathmey, "The Royal Purple Path," p. 15 参照）。アメリカ合衆国の国勢調査原票（1870年と1880年）にもデニス･ヒルとシルヴィア・ヒル夫婦の同居が記録されている。

(7) 1900年のアメリカ合衆国国勢調査原票には､ヒルが死亡する6年前の時点で、ヒルがウィリアム・グワスミーの息子ジョセフ（Joseph）とその妻ジャネット（Jeannette）の住む家に同居していたことが記されている。

(8) Gwathmey, "The Royal Purple Path" については、註4参照。

(9) アメリカ合衆国の南部における回想録の社会的文化的意義については、Jennifer Ritterhouse, "Reading, Intimacy, and the Role of Uncle Remus in White Southern Social Memory," *The Journal of Southern History* 69 (3) (August 2003): 586 – 622 を参照。メアリ・グワスミーの回想録 "The Royal Purple Path"（未出版）が完成されたのは少し遅い時期になるが、それ以前に書かれている他の多くの回想録と共通する点が多い。遅い時期の回想録に関する議論については、Micki McElya, *Clinging to Mammy: The Faithful Slave in Twentieth-Century America* (Cambridge: Harvard University, 2007) を参照。

(10) ジムクロウ体制については Leslie Brown, "Introduction," in *Upbuilding Black Durham: Gender, Race Class and Community Development in the Jim Crow South*

(Chapel Hill: UNC, Press, 2008), 9-25; Jerrold M. Packard, *American Nightmare: The History of Jim Crow* (New York: St. Marten's Press, 2002) を参照。

(11) Gwathmey Family Papers, Box 7.

(12) 家事労働については Tera W. Hunter, *To 'Joy My Freedom: Black Women's Lives and Labors after the Civil War* (Cambridge: Harvard University Press, 1997) and Judith W. Linsley, "Main House, Carriage House: African-American Domestic Employees at the McFaddin-Ward House in Beaumont, Texas, 1900-50," *The Southwestern Historical Quarterly* 103 (1) (July 1999): 16-51 を参照。

(13) Gwathmey, "The Royal Purple Path," pp. 2, 18.

(14) Ibid., p. 5.

(15) ヒルの遺言書は Gwathmey Family Papers, Box 11, "Miscellany" に保管。

(16) "Interview with Virginia Newman," 4 May 1937, in *The American Slave: A Composite Autobiography, Supplement Series 2, Volume 7, Texas Narratives* edited by George P. Rawick (Westport, CT: Greenwood Press, 1979), 2907.

(17) "Autobiography of Lewis Jefferson, Walthall County," in *The American Slave: A Composite Autobiography, Supplement Series 1, Volume 8, Mississippi Narratives, Part 3* edited by George P. Rawick (Westport, CT: Greenwood Press, 1978), 1144.

(18) Gwathmey, "The Royal Purple Path," p. 3.

(19) Ibid., p. 2.

(20) Ibid., p. 1.

(21) Ibid., p. 22.

(22) Ibid., p. 26〔著者は、遺言書でヒルが自分の葬儀費用を残したことを確認しており、1906 年にヒルが死亡したときの葬儀で墓石が立てられただろうと推測している。著者によればメアリは 1885 年生まれであるから、ヒルの死はメアリーが 19 歳のころのことである。おそらくメアリは、回想録を完成する時期（1948 年ころ）にヒルの属した教会を訪れ、42 年ほど前の墓石を捜し、そこに刻まれた文言を書き写して回想録の締め括りに使ったとも考えられる。誰がその碑文の作者なのかは、著者にもわからないという〕。ヒルの墓石が立つプロヴィデンス・バプティスト教会（Providence Baptist Church）の現在の牧師エヴァンズ・ホワイト（Rev. Evans White）がこの 3 行の文言がヒルの墓石の碑文であると確認している。

(23) ジムクロウ体制下における呼称の重要性については、Timothy B. Tyson の論評記事 "The Ghosts of 1898: Wilmington's Race Riot and the Rise of White

Supremacy," *The News & Observer*, 17 November 2006 (Section H, p. 13) 参照。〔ヒルが晩年の6年ほどは小屋ではなく、メアリの両親の家で暮らしていたこと（註7）や、身寄りのない者の葬儀は通常その雇い主が執り行なうことを考えれば、グワスミー一家が葬儀を行ない墓石も用意したであろうということは推測できる。とすれば、推測の域を出ないものの、グワスミー一家の者（おそらくメアリの両親）がヒルを「ミセス」という敬称で神の許に見送った可能性も否めない。〕

第二部

ヴェラ・セセルスキ「奴隷所有者ベネハンの家」

(1) Jean Bradley Anderson, *Piedmont Plantation* (Durham: Historic Preservation Society of Durham, 1985), 10-11.

(2) スタッグヴィルの黒人家族については何世代にもわたる史料がある（From #133 Cameron Family Papers, Southern Historical Collection, Wilson Library, University of North Carolina）。

(3) Paul C. Cameron to his sisters, 8 March 1853. Cameron Family Papers, Southern Historical Collection, Wilson Library, University of North Carolina.

(4) Paul C. Cameron が家の果たす機能について "a sort of headquarters for the Bench & Bar" と述べている（Paul C. Cameron to David L. Swain, 9 May 1853. David L. Swain papers, State Archives of North Carolina）。

(5) Anderson, *Piedmont Plantation*, pp. 85-92.

(6) Virgil Bennehan to Thomas D. Bennehan, 3 September 1839. Cameron Family Papers, Southern Historical Collection, Wilson Library, University of North Carolina.

(7) *A Bill to Prevent All Persons from Teaching Slaves to Read or Write, the Use of Figures Excepted.* Legislative Papers, 1830-31 Session of the General Assembly. 1830.

青木利夫「ストリートで働く新聞売りの子どもたち」

(1)「エル・デモクラタ（El Demócrata）」「エル・ウニベルサル（El Universal）」ともに、20世紀はじめに創刊された日刊紙。

(2) Aguilar, Gabriela y Ana Cecilia Terrazas, *La prensa, en la calle: los voceadores y la distribución de periódicos y revistas en México* (México: Grijalbo/Universidad Iberoamericana, 1996), 39

(3) ボセアドール（voceador）とは、大声で商品を売り歩く人のことであり、メキシコでは新聞売りをこのように呼んだ。また、新聞がパペル（papel: 紙のこと）といわれていたことから、新聞売りはパペレーロ（papelero）と呼ばれることもあった。

(4) 1923年に結成された「連邦区出版物販売員組合（Unión de Expendedores y Voceadores de la Prensa del Distrito Federal）」は、のちに「メキシコ新聞販売員組合（Unión de Expendedores y Voceadores de los Periódicos de México）」と名称を変更した。

(5) *Voces de la libertad* (México: Unión de Expendedores y Voceadores de los Periódicos de México, 2010), 15.

(6) Ceniceros, José Ángel y Luis Garrido, *La delincuencia infantil en México* (México: Ediciones Botas, 1936), 114-115.

(7) Lombardo, Irma García, *De la opinión a la noticia: El surgimiento de los géneros informativos en México* (México: Ediciones Kiosco, 1992), 103.

(8) Ceniceros, José Ángel y Luis Garrido, ibid., p.116.

(9) *Voces de la libertad*, p.34.

---------- 写真出典 ---------

この話に掲載した写真はすべて、国立人類学歴史学研究所（Instituto Nacional de Antropología e Historia ／ INAH）の国立写真館（Fototeca Nacional）に所蔵されているものである。これらの写真は、現在、INAHのウェブサイト（https://www.mediateca.inah.gob.mx）上で公開されている。それぞれの写真は以下のように分類され、説明が付されている。

（図1）Niños voceando con periódicos por una calle 77_20140827-134500:780899 ca. 1910.

（図2）Niño voceando su periódico, retrato 77_20140827-134500:154997 Archivo Casasola 1925-1930.

（図3）Niño voceador mostrando su periódico. La Prensa en una calle 77_20140827-134500: 154937 Archivo Casasola 1925-1930.

（図4）Voceadores frente a las instalaciones de La Prensa 77_20140827-134500:85511 Archivo Casasola ca.1935.

（図 5）Miembros de la Unión de Expendedores y Voceadores de la Prensa, retrato de grupo 77_20140827-134500:72957 Archivo Casasola ca. 1925.

（図 6）Numeroso grupo de voceadores al exterior del edificio de El Demócrata 77_20140827-134500: 5386 Archivo Casasola ca.1922.

（図 7）Gente y niño voceador recoge los periódicos arrojados por la empresa El Heraldo 77_20140827-134500:642967 Archivo Casasola 1911-1913.

（図 8）Vidal M. Chavez entrega ropa y zapatos a un niño voceador 77_20140827-134500:655936 Archivo Casasola ca.1928.

（図 9）Avenida Insurgentes, vista panorámica 77_20140827-134500:122752 Archivo catalogo: 122752 Archivo Casasola ca. 1928.

（図 10）Niños vendiendo sus periódicos, retrato 77_20140827-134500:154995 Archivo Casasola 1920-1925.

（図 11）Niño vendiendo el periódico el Machete en una calle de la Ciudad de México 77_20140827-134500:170621 Aechivo Casasola 1935-1940.

（図 12）Gente fuera del edificio del Banco de Londres y México 77_20140827-134500: 196267 Archivo Casasola ca. 1925.

（図 13）Niños vendiendo periódicos en la calle, retrato. 77_20140827-134500:197862 Archivo Casasola ca. 1920.

（図 14）Niños voceadores durante la hora del almuerzo 77_20140827-134500:5579 Archivo Casasola ca. 1920.

（図 15）Niños voceadores duermen en la calle 77_20140827-134500:655947 Archivo Casasola ca. 1930.

（図 16）Voceadores afuera de un edificio comercial jugando rayuela 77_20140827-134500: 154963 Archivo Casasola 1930-1935.

（図 17）Voceadores cobrando en la pagaduría de un periódico 77_20140827-134500: 5380 Archivo Casasola ca. 1925.

（図 18）Corchado entrega donativos a niños durante la celebración del día del Papelero 77_20140827-134500:5388 Archivo Casasola ca. 1922.

（図 19）Voceadores a las afueras del edificio de distribución de revistas y periódicos El Papelero 77_20140827-134500:154958 Archivo Casasola 1935-1940.

（図 20）Niños voceadores reciben clases en la casa del papelero 77_20140827-134500: 374809 Nacho López 1951-03.

（図 21）Voceadores duermen en la casa del pepelero 77_20140827-134500:640914 Archivo

Casasola 1940.

<追記>

本稿は、日本学術振興会学術研究助成基金助成金、基盤研究（C)、課題番号15K04362、研究代表：青木利夫、研究課題「メキシコにおける子どもの福祉と教育に関する研究」(2015 年－ 2019 年)、および基盤研究（C)、課題番号19K02562、研究代表：青木利夫、研究課題「貧困に生きるメキシコの子どもの生活に関する歴史研究」(2019 年－ 2022 年）の助成による研究成果の一部である。

高橋和雅「マックスウェル・ストリートの音風景」

(1) "You Can Buy Anything on Maxwell St.," *Chicago Merchant*, August 1939.

(2) Malcolm Mcdowell, "Exploring Chicago: Things to See and Do," *Chicago Daily News*, undated, 1939.

(3) Evelyn Shefner, "Maxwell Street," *Sunday Times* (Chicago), 10 September 1939.

(4) Ibid.

(5) Malcolm Mcdowell, "Exploring Chicago: Things to See and Do," *Chicago Daily News*, undated, 1939.

(6) Ibid.

(7) "You Can Buy Anything on Maxwell St.," *Chicago Merchant*, August 1939.

(8) Ibid.

(9) Elizabeth C. Harvey, "Some Recollections of The Early Years of The Present Newberry Avenue Center, 1930-31-32-33," undated (ca. 1963), Folder #1101, Box #71, Marcy-Newberry Association Records, Special Collection, Daley Library, University of Illinois at Chicago.

(10) Robert M. Yoder, "Floor Show on Maxwell Street," *Chicago Daily News*, 23 November 1938.

第三部

ヘザー・A・ウィリアムズ「わずかばかりの自由」

(1) 裁判記録 *State of Mississippi vs. John (Slave)* は、ミシシッピ州ジャクソン市の

州立古文書館（State Archives, Jackson, Mississippi）に所蔵されている。同裁判におけるマリア・リーらの証言は全て、この裁判記録に記載されているので、以下、註で出典を示すことはない。

(2) 奴隷とされていた人が1840年代の奴隷制下において姓で呼ばれるとは非常に珍しいことであるが、マリア・リーのリーは姓のほうであろう。現に、ジョンが姓で呼ばれることはなかった。

(3) マリア・リーがこの裁判で証言することが可能となったのは、被告が黒人で奴隷とされていた人物だったからである。被告が白人であったら、マリア・リーの証言は除外されていたであろう。

(4)「痒み」について裁判記録では説明がないが、性病の可能性はある。ジョンがフルトンに依頼してヒ素を買ってもらおうとしたのは、奴隷とされた人たちが白人たちを毒殺するという恐れから、奴隷とされた人にはヒ素を買うことが不可能だったからである。ミシシッピ州では、ヒ素や他の薬物／毒物を奴隷とされている人に売ることを明確に違法だとはしていなかったようであるが、奴隷とされている人に売ることを拒否する行為はジョージア州のような他の州では法にかなっていると見なされていたであろう。薬品は、大量に用いられれば致命的なヒ素や水銀や他の薬物を含んでいることが多かった。ジョージア州では1770年の時点で、「毒物を含む薬品」を薬屋や薬剤師が黒人に売ることは違法となっていた。

(5) Laws of North Carolina, Chapter 406, 1794; Indictment of Stephen Elliot, Chowan County, North Carolina, 1841, North Carolina State Archives; Albermarle County, Virginia, Commonwealth Causes, Library of Virginia.

(6) ミシシッピ州の法律では、ハリーとマリアが何かを売るには所有者の許可が必要であったろう（*Laws of the State of Mississippi, Sec. 9, 1822*）。裁判記録には、ハリーが奴隷とされていたとは明記されていない。ハリーが自由黒人であった可能性はある。おそらく検察側は、マリア・リーからハリーの身分について明確な情報を得ていたはずである。

(7) Richard Wade, *Slavery in the Cities: The South 1820-1860* (New York: Oxford University Press, 1967), 143-179.

(8) *Laws of the State of Mississippi, 1831*. この州法から9年後の1840年、ジャクソンに住む自由黒人（純潔も混血も）州に留まる許可を申請することができるようになった（*Laws of the State of Mississippi, 1840*, Chapter 70）。

佐々木孝弘「エリザベス・ミード・イングラムの日記を読む」

(1) May 10, 1863, Elizabeth Mary Meade Ingraham Diary. この日記は、W. Maury Darst, ed., "The Vicksburg Diary of Mrs. Alfred Ingraham (May 2-June 13, 1863)," *Journal of Mississippi History* 44 (May 1982): 148-179として公開されている。以下、これを "Ingraham Diary" と略記する。この日記はエリザベスの3人の娘たち（ジェーン、アポリン、アリスの3人）に宛てて書いているものなので、文中の「お父様」(Father)は、夫のアルフレッドを指す。また、「エマ」はアルフレッドの所有する女性奴隷のひとりである。この日記の中に登場する「マーサ」、「パッツィー」、「リア・ジェーン」など、ファーストネームのみで記載されている個人名の多くもやはりアルフレッドの所有する奴隷たちの名前である。エリザベスもアルフレッドもともにペンシルヴェニア州出身の北部人であるが、結婚後ミシシッピ州へ移住してきた。アルフレッドはこの地域における第二合衆国銀行の外交員としての仕事をしていた。

(2) エリザベスの日記の5月3日から13日までの記述からの関連する内容の要約。なぜエリザベスの寝室だけには手をつけなかったのかの理由は明らかではないが、恐らく合衆国陸軍のジョージ・ゴードン・ミード中将がエリザベスの弟であることを彼女が告げたためではないかと考えられる。Ingraham Diary, pp. 150-165.

(3) Ingraham Diary, 10 May 1863, p. 165.

(4) Ingraham Diary, 15 May 1863, p. 166. 文中のエドワードはイングラム夫妻の次男で南部連合軍の少佐だったが、戦争中に負傷しその傷が原因で1862年5月10日に他界した。

(5) Ingraham Diary, 18 May 1863, p. 167.

(6) Ingraham Diary, 28 May 1863, p. 172.

(7) Ingraham Diary, 13, 22, & 27 May 1863, pp. 165, 169, 170-171.

(8) Ingraham Diary, 31 May 1863, p. 173.

(9) Ingraham Diary, 2 June 1863, p. 174.

(10) Ingraham Diary, 7 June 1863, pp. 177-178.

(11) Ingraham Diary, 10 June 1863, p. 178.

永島　剛「石鹸がもたらした人びとの生活の近代」

(1) E. Chadwick, *Report on the Sanitary Condition of the Labouring Population of Great*

Britain, 1842, reprinted, M.W. Flinn ed. (Edinburgh, 1965). 当時のイギリスの庶民たちの生活については、角山栄・川北稔・村岡健次『産業革命と民衆』（河出書房新社，1975 年）。長島伸一『世紀末までの大英帝国――近代イギリス社会生活史素描』（法政大学出版局，1987 年）も参照。

(2) 小川眞里子『病原菌と国家――ヴィクトリア時代の衛生・科学・政治』（名古屋大学出版会，2016 年）。

(3) 永島剛「ヴィクトリア時代ブライトン市における衛生環境改革事業の展開」『三田学会雑誌』94 巻 3 号（2001 年）、65-84 頁。

(4) F. Nightingale, *Notes on Nursing: What it is and What it is Not* (1859)（小玉香津子他訳『看護覚え書き』日本看護協会出版会 , 2004 年）。

(5) 石鹸産業の歴史については、C. Wilson, *The History of Unilever: A Study in Economic Growth and Social Change*, vol. 1 (London, 1954). B. Lewis, *So Clean: Lord Leverhulme, Soap and Civilisation* (Manchester, 2012). 佐々木聡『石鹸・洗剤産業』（日本経営史研究所，2016 年）参照。

(6) The Association of London and Country Soap Manufacturers, *Case of the Soap Duties* (London, 1846).

(7) 19 世紀イギリスの税制史については、M. Daunton, *Trusting Leviathan: The Politics of Taxation in Britain, 1799–1914* (Cambridge, 2001). とくに内国消費税については、隅田哲司「イギリスにおける Excise（内国消費税）の生成」『社会経済史学』33 巻 4 号（1967 年）、327-345 頁。

(8) *British Parliamentary Debates* (*Hansard*). HC Deb 07 June 1825, vol.13, cc1064-8; HC Deb 28 June 1832, vol.10, cc898-908; HC Deb 23 May 1832, vol.12, cc1402-3; HC Deb 22 February 1833, vol.15, cc1098-9; HC Deb 18 March 1833, vol.16, cc725-6; HC Deb 15 March 1836, vol.32, cc361-82; HC Deb 04 April 1837, vol.37, cc740-9; HC Deb 03 April 1838, vol.42, cc363-74; HC Deb 17 June 1853, vol.128, cc382-3; HC Deb 20 June 1853, vol.128, cc473; HL Deb 07, July 1853, vol.128, cc1362-7.

(9) *An Act to Repeal the Duties, Allowances, and Drawbacks of Excise on Soap*, 16 and 17 Victoria, cap. 39, 8 July 1853.

(10) E. J. Hobsbawm, *Industry and Empire: From 1750 to the Present Day* (London, 1968)（浜林正夫・和田一夫・神武庸四郎訳『産業と帝国』未来社、1984 年）。W. H. Fraser, *The Coming of the Mass Market, 1850-1914* (London, 1981)（徳島達朗・友松憲彦・原田政美訳『イギリス大衆消費市場の到来――1850-1914 年』梓出版社、1993 年）。

(11) Wilson, *The History of Unilever*, p.9.

(12) M. Te Hennepe (2014), "'To preserve the skin in health': Drainage, bodily control and the visual definition of healthy skin 1835–1900," *Medical History* 58 (3): 397-421.

(13) 家内衛生を詳説している教師向けの「家庭科」本の一例として、A. Newsholme and M. E. Scott, *Domestic Economy: Comprising the Laws of Health in Their Application to Home Life and Work* (London, 1897).

(14) V. Kelley, *Soap and Water: Cleanliness, Dirt and the Working Classes in Victorian and Edwardian Britain* (London, 2010).

(15) 当時の政府の社会への関わり方についての概説として、P. Thane, "Government and society in England and Wales, 1750-1914", in F.M.L. Thompson (ed.), *The Cambridge Social History of Britain 1750-1950* (Cambridge, 1990) 参照。

(16) 工藤雄一「公害法（一八六三年アルカリ工場規制法）の成立」『社会経済史学』40巻6号（1975年）、576-606頁。

佐原彩子「母が子どもを手放す時」

(1) この話は、下記のオーラルヒストリー史料に基づくものである。Truong Le Chi, Vietnamese American Oral History Project, University of California, Irvine; Hoang Dai Hai, Vietnamese American Oral History Project, University of California, Irvine.

(2) ザー・ロン（Gia Long）高校は現在 Nguyen Thi Minh Khai 高校と改名し男女共学となっている。1915年創立で、首都サイゴンで最も優秀な女学校として有名であった。チが在学していた当時は南部の優秀な女学生が寮生活をしながら学ぶ寄宿学校であり、卒業生は大学進学するなど、社会的地位が約束されていた。

(3) 1949年パール・バックによって設立された団体であり、元々日本のアメラジアンの養子縁組を行っていた。「ウェルカム・ハウス（Welcome House）」や「ベトナムの子どもたちの友（Friends of the Children of VietNam）」などの活動によって1963年から1976年までに3267人の子どもたちがベトナムからアメリカ人家庭に養子縁組された。Allison Varzally, *Children of Reunion: Vietnamese Adoptions and the Politics of Family Migrations* (Chapel Hill: University of North Carolina Press, 2017), 19, 22. アメリカへの国際養子縁組については下記を参照

のこと。Sara Dorow, *Transnational Adoption: A Cultural Economy of Race, Gender, and Kinship* (New York: New York University Press, 2006); Ellen Herman, *Kinship by Design: A History of Adoption in the Modern United States* (Chicago: University of Chicago Press, 2008); Barbara Melosh, *Strangers and Kin: The American Way of Adoption* (Cambridge, MA: Harvard University Press, 2006).

(4) Gloria Emerson, "Operation Babylift," *New Republic*, 26 April 1975; "The Orphans Saved or Lost?," *Time*, 21 April 1975; Varzally, *Children of Reunion*, pp. 48-51.

(5) Varzally, *Children of Reunion*, pp. 54-55.

(6) Rachal Martin, "Remembering The Doomed First Flight Of Operation Babylift," NPR, 16 April 2015.

(7) 再教育キャンプ経験については以下のものを参照のこと。Doan Van Toai and David Channoff, *The Vietnamese Gulag* (New York: Simon and Schuster, 1986); Nguyễn Ngọc Ngạn with E.E. Richey, *The Will of Heaven: A Story of One Vietnamese and the End of His World* (New York: Dutton, 1982); Ginetta Sagan and Stephen Denney, "Re-education in Unliberated Vietnam: Loneliness, Suffering and Death" *The Indochina Newsletter*, October-November 1982.

(8) 船での出国は警察に摘発され投獄されるだけでなく、海で海賊に襲われたり、遭難や溺死したりするなどのリスクも高かった。1981年の統計によれば、ベトナムを脱出しタイに到着した452隻の船のうち349隻が平均3回海賊に襲撃されていた。United Nations High Commissioner for Refugees, *State of World's Refugees, 2000*, pp. 81-84.

(9) HOプログラムについては下記を参照のこと。Amanda Demmer, "Forging a Consensus on Vietnamese Reeducation Camp Detainees: The Families of Vietnamese Political Prisoners Association and US-Vietnam Normalization," in *Domestic Politics and US Foreign Policy since 1945*, eds. Andrew L. Johns and Mitchell B. Lerner (Lexington: University Press of Kentucky, 2018); Sam Vong, "'Compassion Gave Us a Superpower': Vietnamese Women Leaders, Reeducation Camps, and the Politics of Family," *Journal of Women's History* 30 (3) (Fall 2018): 107-137.

(10) 実際にザー・ロン女学校同窓会は、北カリフォルニア支部があり、カリフォルニア州に同窓生が一定数居住していることがわかる。https://gialong.org

＜追記＞

本稿は、JSPS科研費JP18K18267の助成による研究成果の一部である。

第四部

兼子　歩「価値観の分断線がゆらぐとき」

(1) "We Are in the Middle of the Great American Department Store Shakeout——and There's No Stopping It," CNBC, 13 August 2019.

(2) Susan Porter Benson, *Counter Cultures: Saleswomen, Managers, ands Customers in American Department Stores, 1890-1940* (Urbana: University of Illinois Press, 1986), chapters 1-3; William Leach, *Land of Desire: Merchants, Power, and the Rise of a New American Culture* (New York: Vintage, 1994). 19 世紀の小売店は基本的に規模が小さく、多くの店では商品はカウンターと従業員の後ろに配置されていて、客は商品を手にするためには従業員に商品を取ってもらわなければならなかった。

(3) ダンスホールについては、兼子歩「ダンスホールの境界線——戦間期ニューヨークのダンスホールをめぐるセクシュアリティと人種のポリティクス」(樋口映美・貴堂嘉之・日暮美奈子編『〈近代規範〉の社会史＜追記＞都市・身体・国家』彩流社、2013 年) を参照。

(4) Elaine S. Abelson, *When Ladies Go A-Thieving: Middle-Class Shoplifters in the Victorian Department Store* (New York: Oxford University Press, 1989)〔日本語版：椎名美智・吉田俊実訳『淑女が盗みにはしるとき——ヴィクトリア朝アメリカのデパートと中流階級の万引き犯』、国文社、1992 年〕。

(5) Benson, *Counter Cultures*, pp. 128-130.

(6) George Jackson Kneeland, *Commercialized Prostitution in New York City* (New York: Century, 1913). 引用は p. 104 より。

(7) この 1913 年の調査については、以下の論文がある。Val Marie Johnson, "'The Rest Can Go to the Devil': Macy's Workers Negotiate Gender, Sex, and Class in the Progressive Era," *Journal of Women's History* 19 (Spring 2007): 32-57; Val Marie Johnson, "'Look for the Moral and Sex Sides of the Problem': Investigating Jewishness, Desire, and Discipline at Macy's Department Store, New York City, 1913," *Journal of the History of Sexuality* 18 (September 2009): 457-85.

(8) Ruth Rosen, *The Lost Sisterhood: Prostitution in America, 1900-1918* (Baltimore: Johns Hopkins University Press, 1983). 都市の売春問題は 20 世紀に始まったものではなく、Timothy J. Gilfoyle, *City of Eros: New York City, Prostitution, and the Commercialization of Sex, 1790-1920* (New York: Norton, 1992) によれば、19 世紀

前半にはすでにニューヨークは西洋世界で最も売春婦の多い都市だとさえ言われていた。20 世紀初頭にことさら性売買問題が注目された背景にあったのは、女性の公的領域への進出の拡大、特に賃金労働に従事しストリートを行き交う労働者階級の女性の増加であった。道徳改革者たちは、19 世紀以来の中産階級的価値観（ヴィクトリア文化とも呼ばれる）の中核である、男女の分離領域——男性が公的領域を担い、女性は家庭を主たる活動の場とすべきであるという理想像——という枠組みによって、彼女たちを「正しい」女性像から逸脱した、都市社会の秩序と道徳の崩壊を具現する存在として分節化した。性売買問題への注目は、彼女たちをスティグマ化することで社会の変化への不安を転嫁する行為であった。兼子歩「アメリカ売買春史研究の展開——革新主義期を中心に」『歴史学研究』第 925 号、2014 年、38-49 頁。

(9) 十四人委員会自体に関する研究としては、以下を参照。Thomas C. Mackey, *Pursuing Johns: Criminal Law Reform, Defending Character, and New York City's Committee of Fourteen, 1920-1930* (Columbus, OH: Ohio State University Press, 2005).

(10) Jennifer Fronc, *New York Undercover: Private Surveillance in the Progressive Era* (Chicago: University of Chicago Press, 2009). なお、20 世紀初頭のこうした覆面調査員の多くは、社会学などを修めた調査の専門家だったわけではない。

(11) 20 世紀転換期の道徳改革運動に関する研究は、改革団体による「上からの」労働者階級道徳の規律を強調するが、その際、こうした団体が派遣する調査員はその先兵と仮定される。さらに言えば、中産階級改革運動の研究は、改革の対象とされた移民や労働者階級の人びとやその文化との接触交流を通じて、改革者たち自身の規範やアイデンティティが揺らぐことを前提しない。たとえば、Ruth M. Alexander, *The "Girl Problem": Female Sexual Delinquency in New York, 1900-1930* (Ithaca: Cornell University Press, 1995); David J. Pivar, *Purity and Hygiene: Women, Prostitution, and the "American Plan," 1900-1930* (Westport, CT: Greenwood Press, 2002) など。松原宏之『虫喰う近代——1910 年代社会衛生運動とアメリカの政治文化』（ナカニシヤ出版、2013 年）は、エリート層の改革運動内における複雑な対立と矛盾が生み出した帰結を精緻かつ動態的に描き出している。しかし社会衛生運動が試みる改良の対象については静態的な理解であり、改革者たちが改革の対象から影響を受けるとは想定されていない。また、労働者階級女性に関する社会史研究は、古典的なものとしては、Kathy Peiss, *Cheap Amusements: Working Women and Leisure in Turn-of-the-*

Century New York (Philadelphia: Temple University Press, 1986). 最近のものとしては、Elizabeth Alice Clement, *Love for Sale: Courting, Treating, and Prostitution in New York City, 1900-1945* (Chapel Hill: University of North Carolina Press, 2006) など。これらの研究は、覆面調査員の報告を労働者階級女性に関する一次史料として扱うが、調査員たちに目が向けられることはほとんどない。註（7）に挙げた文献もほぼ同様である。

(12) The Committee of Fourteen, *Department Store Investigation Report of the Sub-Committee* (New York: Committee of Fourteen, 1915), 7, folder 2, box 39, Committee of Fourteen (C14) Papers, New York Public Library. ただし最終報告書内では、ハバートンは "Miss A" と匿名で紹介されていた。なお、当時のデパートは、福利厚生や訓練プログラムを、ソーシャルワークを行う外部組織に委託することがあった。Benson, *Counter Cultures*, pp.142-153.

(13) Faith Habberton, 2 July 1913, folder 3, box 39, C14 Papers.

(14) Habberton, 7 July 1913, folder 3, box 39, C14 Papers.

(15) Habberton, 22 July 1913, folder 3, box 39, C14 Papers.

(16) Habberton, 5 August 1913, folder 3, box 39, C14 Papers.

(17) Habberton, 26 September 1913, folder 3, box 39, C14 Papers.

(18) Habberton, 7 July 1913, folder 3, box 39, C14 Papers.

(19) Habberton, 26 September 1913, folder 3, box 39, C14 Papers.

(20) デパートの女性販売員が、従業員間の競争を一定の枠内に制限する職場文化を培っていたこと、経営者やバイヤーに対してその自律性を守ろうとする彼女たちの意志の固さについては、Benson, *Counter Cultures*, pp.249-258.

(21) Habberton, 26 September 1913, folder 3, box 39, C14 Papers.

(22) Habberton, 16-30 October 1913, folder 3, box 39, C14 Papers.

(23) Ibid.

(24) Ibid.

(25) Habberton, undated, handwritten memorandum, folder 3, box 39, C14 Papers.

(26) The Committee of Fourteen, *Department Store Investigation Report*, pp. 10-11, 13.

土屋和代「誰のためのフェミニズムか」

(1) Johnnie Tillmon, "Welfare is a Women's Issue," *Ms. Magazine* (Spring, 1972): 11-16. Reprinted, *Ms. Magazine* (July/August, 1995): 50-55.

(2) アメリカの福祉権運動に関する拙論として、土屋和代「福祉をめぐる闘ぎ合い――ロスアンジェルスにおける『貧困との戦い』と人種、ジェンダー」『歴史学研究』大会増刊号（2009年10月）、129-138頁。Kazuyo Tsuchiya, "Jobs or Income Now!: Work, Welfare, and Citizenship in Johnnie Tillmon's Struggles for Welfare Rights," *Japanese Journal of American Studies* 22 (2011): 151-170; 土屋和代「アメリカの福祉権運動と人種、階級、ジェンダー――『ワークフェア』との闘い」（油井大三郎編『越境する一九六〇年代――米国・日本・西欧の国際比較』彩流社、2012年）、161-183頁; Kazuyo Tsuchiya, *Reinventing Citizenship: Black Los Angeles, Korean Kawasaki, and Community Participation* (Minneapolis: University of Minnesota Press, 2014); 土屋和代「誰の〈身体〉か？――アメリカの福祉権運動と性と生殖をめぐる政治」小松原由理編『〈６８年〉の性――変容する社会と「わたし」の身体』（青弓社、2016年）、62-90頁; 土屋和代「『福祉権の聖歌』――全米福祉権団体の結成と人種、階級、ジェンダー」『立教アメリカン・スタディーズ』第38号（2016年）、81-103頁; 土屋和代「生存権・保証所得・ブラックフェミニズム――アメリカの福祉権運動と〈一九六八〉」『思想』1129号（2018年5月）、105-129頁。

(3) 1984年2月のインタビューIと、グラックが担当する女性史の授業内で行なわれた1991年9月のインタビューIIとに分かれる。スケジュールの問題やティルモンの体調の問題もあり、このインタビューは未完に終わった。Johnnie Tillmon, interview by Sherna Berger Gluck, February 1984 and Spring 1991, The Women's History Collection, Oral History Archives, California State University, Long Beach (hereafter WHC-OHA-CSULB).

(4) Sherna Berger Gluck, ed., with an introduction; forward by Kathryn Kish Sklar, *From Parlor to Prison: Five American Suffragists Talk about Their Lives* (New York: Vintage Books, 1976); Sherna Berger Gluck, *Rosie the Riveter Revisited: Women, The War, and Social Change* (Boston, MA : G.K. Hall, 1987); Sherna Berger Gluck and Daphne Patai, eds., *Women's Words: The Feminist Practice of Oral History* (New York : Routledge, 1991); Sherna Berger Gluck, *An American Feminist in Palestine: The Intifada Years* (Philadelphia: Temple University Press, 1994).

(5) 保苅実『ラディカル・オーラル・ヒストリー――オーストラリア先住民アボリジニの歴史実践』(2004年)（岩波書店、2018年）、58頁; 大門正克『語る歴史、聞く歴史――オーラル・ヒストリーの現場から』（岩波書店、2017年）、199頁。

(6) "Biography of Mrs. Johnnie Tillmon," n.d., Records of the National Welfare Rights

Organization [the collection is unprocessed, 11/01/2004], Manuscript Department, Moorland-Spingarn Research Center, Howard University, Washington DC (hereafter NWRO Papers Unprocessed); Tsuchiya, *Reinventing Citizenship*, pp. 106-107.

(7) *I Dream A World*; Johnnie Tillmon. interview by Southern California Library for Social Studies and Research, 10 October, 1990, Watts '65 Project, Oral History, Southern California Library for Social Studies and Research, Los Angeles.

(8) Tillmon, interview by Gluck, Interview I, Side A, February 1984, WHC-OHA-CSULB.

(9) Deborah Gray White, *Too Heavy a Load: Black Women in Defense of Themselves, 1894-1994* (New York: W. W. Norton, 1999), 224.

(10) ANC-Mothers Anonymous, Fact Sheet, n.d., NWRO Papers Unprocessed.

(11) "The Birth of a Movement - June 30, 1966," box 16/ NWRO- Newsletters, '68-'72, Nick Kotz papers, Wisconsin Historical Society; 土屋「『福祉権の聖歌』」、86 頁。

(12) 土屋「アメリカの福祉権運動と人種、階級、ジェンダー」、182-83 頁。

(13) Tillmon, interview by Gluck, Interview I, Side E, February 1984, WHC-OHA-CSULB.

(14) Tillmon, interview by Gluck, Interview II, Tape IV, Side A, Spring 1991, WHC-OHA-CSULB.

(15) Ibid.

(16) Tillmon, interview by Gluck, Interview II, Tape IV, Side B, Spring 1991, WHC-OHA-CSULB; Premilla Nadasen, "'We Do Whatever Becomes Necessary': Johnnie Tillmon, Welfare Rights, and Black Power," *Want to Start A Revolution?: Radical Women in the Black Freedom Struggle*, ed. Dayo F. Gore, Jeanne Theoharis, and Komozi Woodard (New York: New York University Press, 2009), 332.

(17) Tillmon, interview by Gluck, Interview II, Tape IV, Side A, Spring 1991, WHC-OHA-CSULB.

(18) Ibid.

(19) Tillmon, interview by Gluck, Interview II, Tape V, Side B, Spring 1991, WHC-OHA-CSULB.

(20) Tillmon, interview by Gluck, Interview II, Tape V, Side A, Spring 1991, WHC-OHA-CSULB.

(21) Tillmon, interview by Gluck, Interview II, Tape IV, Side A, Spring 1991, WHC-OHA-CSULB.

(22) Tillmon, interview by Gluck, Interview II, Tape IV, Side B, Spring 1991, WHC-OHA-CSULB; Tillmon, interview by Gluck, Interview II, Tape V, Side E, Spring 1991, WHC-OHA-CSULB.

(23) Tillmon, interview by Gluck, Interview II, Tape V, Side A, Spring 1991, WHC-OHA-CSULB.

(24) Tillmon, interview by Gluck, Interview II, Tape IV, Side B, Spring 1991, WHC-OHA-CSULB.

(25) Tillmon, interview by Gluck, Interview II, Tape IV, Side A, Spring 1991, WHC-OHA-CSULB.

(26) ワイリーに不満を抱く人にティルモンが投げかける問いは、「ではあなたは活動資金を届けることが出来るのですか〔……〕もしできないならば、なぜジョージを放っておかないのですか」だった。ワイリーとスタッフ、受給者のあいだに緊張が走った際には自身は「橋渡し」をしてきたと強調する。Tillmon, interview by Gluck, Interview II, Interview II, Tape V, Side C, Spring 1991, WHC-OHA-CSULB.

(27) NWRO 文書には、スタッフの解雇や給料の未払い、スタッフ全体の士気が低下し、混乱が生じていることの告発や、組織の運営の仕方に対する不満を訴えるスタッフからの手紙が多数残されており、これらはNWRO の運営をめぐる緊張と対立を浮かび上がらせる。Memo, Hulbert James to executive committee, 28 August 1969, folder 8,box 8, George Wiley Papers, State Historical Society of Wisconsin (hereafter Wiley Papers); Memo, George A. Wiley to whom it may concern, 15 June 1970, folder 8, box 8, Wiley Papers; Memo, Bob Hinton to George A. Wiley, 10 September 1970, folder 8, box 8, Wiley Papers; Memo, Roberta Ratcliffe to George A. Wiley, n.d. November, 1970, folder 8, box 8, Wiley Papers; Memo, Joyce Rowe to Jim Evans, 9 March 1971, folder 8, box 8, Wiley Papers; Memo, Bert Deleeuw to George Wiley, 24 April 1972, folder 8, box 8, Wiley Papers; Memo, A. Colm to B. Sanders, 22 November 1972, folder 8, box 8, Wiley Papers.

(28) AFDC は貧窮状態にあるシングルマザーとその子どもたちを支援するプログラムとして長い歴史を持つ。20 世紀初頭に州や自治体で制度化された「母親年金」（母親扶助や寡婦年金とも呼ばれた）をモデルとしており、1935 年に社会保障法が制定された際、要扶養児童手当（ADC）として「公的扶助」の一部に組み込まれた。ADC は 1962 年に名称を変更し、要扶養児童家族手当（AFDC）となった。1967 年に AFDC の受給者数は 497 万 3000 人に達し、

15 年前の約 2.5 倍となった。また、黒人の受給者の割合も増え、17%（1940 年）から 46%（1967 年）となり、シングルマザーとその子どもの割合も大幅に増加し、1967 年の時点で全体の 4 分の 3 を占めるに至った。U.S. Dept. of Health, Education, and Welfare, "Preliminary Report of Findings – 1967 AFDC Study," n.d., 2, 7, NWRO Papers Unprocessed; 土屋「『福祉権の聖歌』」、84 頁。

(29) 福祉権運動への参加者が増え、経費が増大する一方で（1968 年の 20 万ドルから 70 年には 90 万ドルへ）、予算は減少した（1968 年の予算の半分近くへ）。Guida West, *The National Welfare Rights Movement: The Social Protest of Poor Women* (New York: Praeger, 1981), 31, 34; Premilla Nadasen, *Welfare Warriors: The Welfare Rights Movement in the United States* (New York: Routledge, 2005), 152, 208.

(30) ティルモンは NWRO での活動の後、ロスアンジェルス市議会議員ロバート・C・ファレルの補佐として働き、その後カリフォルニア州知事のジェリー・ブラウンやジョージ・デュークメジアンの下で福祉に関する諮問委員会の委員を務めた。Nadasen, "'We Do Whatever Becomes Necessary,'" p. 334.

(31) Sherna Berger Gluck in collaboration with Maylei Blackwell, Sharon Cotrell, and Karen S. Harper, "Whose Feminism, Whose History?: Reflections on Excavating the History of (the) U.S. Women's Movement(s)," in *Community Activism and Feminist Policies: Organizing Across Race, Class, and Gender*, ed. Nancy A. Naples (New York: Routledge, 1998), 53-54.

(32) Kristin Celello, "A New Century of Struggle: Feminism and Antifeminism in the United States, 1920 – Present," in *The Practice of U.S. Women's History: Narratives, Intersections, and Dialogues*, ed. S. Jay Kleinberg, Eileen Boris, and Vicki L. Ruiz (New Brunswick: Rutgers University Press, 2007), 338.

大串潤児「『点』の人びとをつなぐ――岩手県北の生活記録運動」

(1) 三上信夫の代表的な著作は以下の通り。『埋もれた母の記録――日本のチベット・北上山地に生きる』未来社、1965 年；『おんなの苦闘史――もう一つの昭和史』彩流社、1990 年；『詩集　MANAGU（童眼）』リヴァープレス社、1998 年；『忘れ得ぬ歳月〝戦争〟――離散・悲惨・慟哭の哀史』文芸社、2001 年；『写真集　まなぐ Managu.』リヴァープレス社、2010 年。

(2) 三上はあまり「底辺」ということばは用いなかった。「埋もれた」「秘められ

た」「かえりみられなかった」「かくれた庶民の歴史」ということばは彼の文章によく記されている。1950年代末から1960年代にかけて「底辺」とは何か、という問題が各地域の記録サークルで論じられていた（秋田県能代市を中心とした白鳥邦夫のサークル『山脈』など）。同時に、サークル・集団（＝つながりの存在を前提にした人びと）のいう「底辺」のとらえ方に対して、千葉県館山市にある買売春に携わった女性たちの「長期保護施設」（コロニー）（＝「かにた婦人の村」、前身は1958年創設の「いずみ寮」）を創設した深津文雄は「底辺」ではなく「底点」、「たった一人」からスタートする思想を育んでいる。「たった一人」から出発して、それらをどのように「つなぐ」ことが出来るか。ここが、三上信夫の「問い」だったと思う。

(3) 三上の活動の影響をうけながら地域で母親文庫活動を行っていた一条ふみは文集『むぎ』を創刊していく。『働く母』のようにすら書けない、信夫を中心とした「点」のつながりから、改めて高度経済成長のなかで変貌・衰微しつつある地域の再認識へと向かうものだった（一条ふみ編・むぎ同人『地底からのうた声 — ふるさとはほろびない』太平出版社、1974年）。また、鹿児島で『サークル村』に参加し、鮮烈な『女と刀』（光文社、1966年）の著者である中村きい子は『働く母』について「六十才で手習いをはじめて、八十才にして文字をもったと、そうせずにはおかなかった、その彼女の執念を……もやして欲しい」と書いていた（『日本読書新聞』1965年12月13日）。

実験的にであれ何であれ、「歴史研究者」が「人」として編み出せるものがあるとすれば、今それを綴らなければならないだろうという思いもあった。

以上のような議論と各々の試行錯誤を経て、本書で表現された歴史の一コマ一コマを、私たちは、歴史研究者か否かにかかわらず、専門領域の壁を越えて多くの読み手と共に考えたいと願っている。それは、何らかのきっかけでふと本書を見つけて手に取り電車に乗ってページを開く読者かもしれないし、授業の参考文献の一冊として手に取る学生のみなさんかもしれないし、あるいはまた、近年議論されている高校での科目「歴史総合」を考える一助として手に取る高校の先生方かもしれない。もちろん、本書の読み手もさまざまな背景を背負って生きている方々であるから、その読み方・受け取り方もさまざまあるだろうと、私たちは想像している。本書の中で乱反射する一つ一つの「物語」を重ねて総体的に「共感」の境地を拓くことも可能かもしれないし、複数の特定の「物語」に共鳴する可能性もある。たった一つの「物語」に自分を重ねる読み手がいてくれてもいい。読み手が本書の何かを自分で主体的に引き受けてくれる、そんなバトンタッチがどこかで実現するなら、そこにこそ私たちが本書で試みた歴史研究の醍醐味があると言えるだろう。

執筆者　一同

起した場面、掘り起こす過程で遭遇した経験が、一つ一つ異なる「物語」として提示されている。それぞれ地域も国も時代も状況も異なるものの、それぞれの地にそれぞれの状況下で実際に生きていた「人」「人びと」について、さまざまな史料を通して思いを馳せ、その「人」「人びと」の営みや意識をより深く理解するためにも、「人」と「人」が出会うことの意味を考えたいとも思った。そうした思いで研究会をもつたびに互いに議論を重ね、書き手として「人」「人びと」に寄り添おうとするうちに、私たちは、歴史を語り紡ぐ過程《プロセス》に私たち自身が参画していること、さらに歴史を綴る介在者として読者と向き合おうとしているのだということを改めて如実に自覚するようにもなった。そうした「物語」を基に「共感を生み出す起爆剤」としての本書を編む段になったとき私たちが重視したのは、時系列的な序列ではなく、「共感」を喚起する方法（読み手への橋渡しの仕方）の種類であった。本書はこうして私たちが一堂に会して議論を重ねた末にできたものである。

読み手のみなさんのなかには、これが「歴史書」と言えるのかと疑問視する方もおられるだろう。私たちは本書を、完成度の高い作品で、これ以上のものはないと考えているわけではない。言い訳に聞こえるかもしれないが、本書は、先にも述べたように、歴史のなかで生きた人／人びとの生き様を、できる限り多くの読み手の「人である」という感性に届けるにはどうすればよいのかという難題に直面した私たちが、実験的に取り組んだものである。考えてみれば、日常的に多くのことが自動化されたり、検索すればすぐに解答が提供されたりしている昨今、思考するエネルギーはどこに向けられるのかという不安、暗い世相のなかで暮らすうちに前向きに思考すること自体が退化していくのかという不安、そういう個々人の思考をめぐる不安が顕在しつつあるように思われる。そのような状況下にある私たちには、

「人」であり、科学者が研究者である前に「人」であるのと同じである。近代から現代に至るうちに物事が細分化され、それぞれの専門家が登場した。世の中ではそれぞれの専門家をその道に長けた人として、その技術やら方法論やらを基準にその存在を評価することが多くなった。そのうち忘れられがちになったのが、そうした技術をもつ専門家も、同じく「人」であるという認識ではないだろうか。「歴史研究者」として人をどう見るかを考える前に、私たちは、自分たちがまず「人」であるという基点に立ち返って、歴史を知る・学ぶ・考えるおもしろさを表現してみたいと考えた。

私たちがもう一つ念頭においたのは、歴史のなかには記録の残されていない人が多いということである。それは、歴史を研究する者にとっては、史料の不在を意味し、歴史のなかで生きた人びとを理解するための手がかりが十分にないということになる。その史料不在を克服しようとして、歴史研究者たちは数値や図式や理論を駆使してきた。そのとき歴史のなかで生きた人びとの生の姿が数値や図式や理論のなかで見えにくくなったのではないか、あるいは、個々人が均一的な集団という枠組みで捉えられがちではなかっただろうか。そういった反省に立ったうえで、史料が不十分で立証できないからと叙述をあきらめるとすれば、あるいは、十分な手がかりがないという理由で実際に起きたことをテーマとして取り上げないとすれば、人びとの姿は忘れられ、結果的に「無かった」ことになってしまわないだろうか。あったことが無いことになってしまうという事態は、避けたい。したがって、本書には、十分な手がかりはなくても、記録を残さなかった人びとの存在や不明な事件をできるかぎり浮き彫りにしようという試みもなされている。それらは、まさに読者と共に考えてみたい事例である。

そうした私たち書き手の試行錯誤を経て、本書には、それぞれの書き手自身が歴史のなかから掘り

あとがき

私たちが、「人が生きる」とは何かを、移動・コミュニティ・記憶に留意して語り合うために研究会を始めたのは二〇一六年一〇月である。それ以来、本書をつくるうえで私たちが共有した目標は、「共感」を呼び起こす起爆剤づくりを目指すことだった。「共感」とは「賛同」することを意味しているわけではない。距離的に遠く離れた場所で、しかも時空を隔てた時代に生きる人びとを自分のことのように受けとめる、そういう「共感」を、現在を生きる読み手に抱いてもらうには、書き手としてどのような工夫をすればよいのか、その難題を私たちは共有してきた。そのためには、主として研究者に読んでもらうことを念頭においた従来からの「論文」の書き方を見直して、史料の実感を提示することができないかと、まず考えた。とはいえ、読み手としての研究者を除外することなく、しかも研究者以外の人びと、異なる分野の人びと、異なる職業の人びと、異なる状況下で生活する人びと、誰とは言わず大勢の読み手に本書がどうにかして届いてほしいとも願った。その大勢の読み手に「自分も人である」という起点に立ち返って考えてもらえるような手がかり、「共感」の手がかりになるような本をつくりたいと願った。

そもそも歴史研究者も、研究者である前に「人」である。それは、大工が腕のいい職人である前に